Chère Marjolaine,

Créer sa vie,
c'est la vivre pleinement

Bonne lecture

Lise Vigeant

Lettre à ma Louve

Lise Vigeant

Lettre à ma Louve

Roman

Les Éditions Belle Feuille

Catalogage avant publication de Bibliothèque et Archives nationales du Québec et Bibliothèque et Archives Canada

Vigeant, Lise, 1956-
  Lettre à ma Louve
Roman
  ISBN imprimé   978-2-923959-52-8
  ISBN numérique pdf   978-2-923959-30-6
  ISBN numérique ePub   978-2-923959-80-1

Infographie des pages couvertures et intérieures : Yvon Beaudin
Révision et correction : Josyanne Doucet et Yvon Beaudin
Mise en page : Marcel Debel et Yvon Beaudin
Illustration de la couverture avant : peinture de Lise Vigeant
Photo de la couverture arrière : Mylène Dandurand
Conception de la page couverture : www.yvonbeaudin.com
Imprimeur : Marquis

La maison d'édition remercie tous les collaborateurs à cette publication.

Les Éditions Belle Feuille
68, chemin Saint-André
Saint-Jean-sur-Richelieu, QC J2W 2H6
Téléphone : 450 348-1681
Courriel : marceldebel@videotron.ca
Web : www.livresdebel.com

Distribution :
BND Distribution
4475, rue Frontenac, Montréal, Québec, Canada H2H 2S2
Tél. : 514 844-2111 poste 206   Téléc. : 514 278-3087
Courriel : libraires@bayardcanada.com

Dépôt légal
Bibliothèque et Archives nationales du Québec—2012
Bibliothèque et Archives Canada—2012

À Guy, mon amoureux, qui a toujours cru en mes rêves.

À mes trois enfants, Guillaume, Mylène et Marie-Pier qui m'ont
permis de m'épanouir pleinement dans mon rôle de maman.

Et que dire de mon bout d'chou Maximilien ?
En sa présence, je touche à l'essentiel de la vie.

REMERCIEMENTS

À ma mère Claire Rémillard et à mon père Léo Vigeant qui ont toujours respecté mes choix.

Un merci tout spécial à ma sœur Manon Vigeant qui a révisé mon manuscrit « Lettre à ma Louve » de fond en comble. La justesse et la rigueur de ses corrections sont très appréciées.

Merci également à monsieur Yvon Paré, écrivain et madame Danyelle Morin, directrice générale et cofondatrice du Camp littéraire Félix. Vos encouragements à continuer mon travail d'écriture ont été le petit coup de pouce pour mener à terme mon projet de roman.

CHAPITRE 1

Silence et blessures

« C'est à cause de toi. Tu n'es qu'une égoïste. Je te hais ».

Les glaçons flottent dans son verre de gin. Une lourdeur de plomb l'entraîne vers son intérieur marécageux. Un léger bien-être, la gorgée descend, la réchauffe.

Un des glaçons effleure ses lèvres. Alice, surnommée Lou, aime l'engourdissement du quatrième verre. Elle serre son oreiller entre ses bras.

« Pourquoi maman ? » Silence total. Douze ans que sa mère est morte. D'un trait, elle vide son verre, puis, regardant autour d'elle, le remplit à nouveau.

Les divagations n'en finissent plus, elle est en mode détresse : « Devrais-je en finir avec cette crisse de vie ? Devrais-je me blesser d'un coup de lame, afin que quelqu'un comprenne ? »

— Maman, tu as été la première à m'abandonner.

Elle prend la photo de Dave, l'embrasse. Le reflet lui envoie son image de femme déchue.

— Tu aurais aimé Dave, maman. Mais avoue qu'il faut quand même être un salaud pour laisser son enfant et sa femme. Surtout le soir de mon quarantième anniversaire de naissance !

Elle lance le cadre sur le plancher. Cette Alice, elle ne peut plus la regarder, quel que soit son reflet, car trop de peines d'amour et de sautes d'humeur l'ont amochée. Une déchéance pour ce cœur de femme.

— Maman, tu n'avais pas le droit, j'étais ta Louve.

Elle revoit sa mère dans son cercueil. Une robe de chiffon rose. La bouche plissée sur ce visage sévère. Dans son cou, une petite chaîne en or sur le semblant de poitrine qu'elle n'a jamais eue. Les taches brunes de ses mains ont été recouvertes d'une poudre. Ses doigts noueux retiennent son chapelet de bois brun, usé. La couleur brune, première caractéristique de ses yeux de mère morte, terne et vide.

— Le geste t'a-t-il délivré de ton mal ? Tu as répété si souvent cette prière.

Tout caler d'un seul coup. Ses mains tremblent. Lou fixe la posologie. Un comprimé le soir, au coucher.

— Je n'ai pas ton courage, moi, maman ! *Cheers* ! Elle prend sa dernière gorgée quotidienne. Le gin l'aidera à fermer les yeux.

Au même moment Justine entre dans la chambre. Une fois de plus, elle recouvre ce corps de mère recroquevillé d'une couverture épaisse. Justine pose un baiser sur cette bouche qui sent le gin à plein nez. Lorsque sa mère ouvre les yeux et l'aperçoit, elle lui fait signe de sortir de sa chambre. Elle a peur de lire, dans les yeux de sa propre fille, tout le dégoût qu'elle peut ressentir face à elle-même.

Justine a envie de crier à sa mère l'amour et l'inquiétude qui l'habitent. Mais elle se tait. Elle sait que Lou passe un très mauvais moment. La jeune fille referme la porte, la gorge nouée par toute la peine ressentie face à cette mère plus morte que vivante. Et elle est de plus en plus inquiète pour cette dernière.

Le corps de Lou n'arrive pas à se détendre. Des perles de sueur lui couvrent le front. À voir son allure crispée, son visage décomposé, ses yeux verts de gris, cheveux et draps en bataille, il est facile de supposer Lou couchée aux côtés du diable.

***

La luminosité du soleil, trop éclatante, accentue une douleur à la tempe gauche. Ses doigts cherchent le verre laissé sur sa table de chevet, toujours au même endroit, près de la petite lampe de lecture. Lou s'étire. Une première gorgée de gin, le premier geste la rattachant à sa réalité tout en espérant l'oubli de cette autre nuit sans repos.

Debout devant sa glace, elle constate qu'elle vieillit. Ses yeux verts, autrefois si brillants, et ses cheveux bruns sont sans éclat. Elle se pince les pommettes pour mettre un peu de couleur sur les joues. Elle prend son temps, elle n'a pas envie de voir le regard de sa fille qui se posera inévitablement sur elle lorsqu'elle franchira la porte de sa chambre. Sa fille qui, elle le sait bien, l'attend dans la cuisine, les assiettes à déjeuner servies. Cette adolescente plus vieille que nature est, depuis longtemps, capable de se débrouiller presque seule, ce qui, pour le moment, satisfait amplement Lou. Elle a bien d'autres chats à fouetter.

Lou la regarde à peine.

— Tu vas être en retard pour l'école, dépêche-toi.

— Tu ne voudrais pas venir me reconduire ce matin ? Je passerai la fin de semaine chez papa et je n'aime pas prendre l'autobus avec ma valise.

— Pas le temps. Et, dis à ton père…

— Non, maman. Tu avais promis de ne pas me mêler à vos histoires. C'est toujours la même chose avec toi.

— Ne recommence pas à me faire la morale. À treize ans…
Et puis laisse tomber. Monte dans la voiture, je suis en retard... Tu
as de l'argent pour dîner ?

Justine a envie de lui crier que son maudit argent, ce n'est
pas ça qui l'intéresse. Elle voudrait recevoir de temps à autre un
peu plus d'attention. Elle aimerait participer à des activités avec
ses deux parents. Elle aimerait regarder la télévision entre son père
et sa mère. Justine voudrait avoir l'impression que cette rupture n'a
jamais eu lieu. Elle sait aussi que le trajet maison-polyvalente se
fera en silence. Sa mère a bien changé depuis la rupture. Comme
si elle en voulait à sa propre fille. Où est passé tout ce temps où
toutes les deux discutaient interminablement ? Où toutes les deux
se pavanaient dans les magasins à essayer toutes sortes de robes, de
manteaux et de bottes. Où est sa véritable mère ? Justine n'ose pas
ouvrir la bouche, car ce qui sortira de celle de sa mère, ce seront des
cris d'exaspération. Elle se sent comme un fardeau que l'on traîne.

Justine se penche vers Lou pour l'embrasser, mais cette
dernière regarde sa montre. La jeune sort de l'auto avec l'envie de
crier à sa mère de la prendre dans ses bras. Mais Lou, sans regarder
dans son rétroviseur, fonce droit devant. Droit devant, telle est sa
devise préférée. Et surtout, surtout, ne plus regarder derrière, car les
choses du passé sont trop souffrantes.

CHAPITRE 2

Un masque creux à porter

Le même trajet depuis quinze ans, le même travail. Dès qu'elle sort de la voiture, Lou met son masque de professionnelle. La métamorphose du vrai au faux ou du faux au vrai s'opère.

Un vieil édifice aux airs ancestraux, sur les rives de la rivière Richelieu, abrite les bureaux de la firme comptable Breton, Vivier et associés. Lou a passé une partie de son adolescence sur cette rue où débordent vie et chaleur. Les boutiques, les petits restaurants et les bistros d'aujourd'hui ont remplacé le *Greenberg's*, le *5, 10, 15*, le *Woolco* et les boutiques yéyé de l'époque.

— Bonjour Lou ! Dieu que tu as l'air fatiguée.

— Phil Vivier, je suis en pleine forme. Toi, par contre…

— Les nuits sont assez difficiles. Des fois, je me demande…

Il se dirige vers l'ordinateur. Elle admire la chute de ses reins. Le souvenir d'un party de bureau refait surface. La passion fut animale ; la rupture, brutale.

— Lou, pourrais-tu vérifier ce bilan ? J'ai un tas de travail en retard. J'ai l'impression que je vais sauter.

— Pas la clôture, j'espère ?

Il se retire.

— Vivian n'est pas ici ce matin ? Vivian ?

La réceptionniste arrive rapidement. Lou la toise du regard.

— Combien de fois faudra-t-il que je vous dise d'apporter mon café quand j'arrive ? Il me semble que ce n'est pas compliqué à comprendre...

— Pas plus tard qu'hier, madame Breton, vous m'avez dit que vous ne buviez plus de café et...

— Je vous en demande un aujourd'hui. Y'a juste les fous qui ne changent pas d'idée.

Phil, du coin de l'œil, surveille la scène. Il aperçoit bien Vivian qui, devant la cafetière, s'essuie les yeux.

Cette dernière n'en peut plus. Depuis quelque temps, cette patronne est devenue un vrai tyran. Vivian ne permettra plus à cette folle de l'humilier ainsi. Depuis deux semaines, sa lettre de démission est écrite.

— Voilà, madame Breton, votre café noir, comme vous l'aimez. Pour l'accompagner, je vous remets ma lettre de démission. Je ne permets à personne de me parler sur ce ton.

— Justement jeune fille, je disais à Phil que j'avais une longue liste de candidats...

— J'espère...

— Non, non. N'espérez rien, absolument rien, de ma part !

Vivian tourne les talons, passe devant le bureau de Phil. Comme d'habitude, il fait semblant de n'avoir rien entendu. Quand la porte claque, il se dirige vers Alice.

— On se retrouve le bec à l'eau. Des fois, tu nous mets dans la merde. Mais qu'est-ce qui te prend, Alice Breton, depuis quelque temps ? Je ne te reconnais plus. Tu as recommencé à boire, c'est ça ?

— Phil, ma vie privée ne te regarde plus il y a de ça plusieurs années. Cette Vivian ne faisait plus l'affaire depuis longtemps. Je vais appeler l'agence de placement. En deux temps trois mouvements, on aura quelqu'un pour la remplacer. Ce n'est pas une petite secrétaire comme elle qui va me dire ce que je dois faire ou non.

Phil retourne sur ses pas. Il n'a pas l'énergie pour s'obstiner. Alice appelle l'agence de placement. La dame lui demande la raison pour laquelle, cette fois-ci, la personne a quitté l'emploi.

— Vous m'envoyez des incompétents, incapables de bien faire leurs tâches. Ici, c'est une firme comptable, pas une garderie.

Après avoir énuméré une fois de plus la longue liste de qualités requises pour travailler chez Breton, Vivier et associés, Lou raccroche.

— Phil, l'agence va envoyer une personne dès lundi. J'espère que tu seras là pour l'entrevue.

— Nous n'avons pas le temps de passer des entrevues, Alice. Tu n'aurais pas pu attendre un peu avant de la mettre à la porte ?

— Je ne l'ai pas mise à la porte, elle a donné sa démission.

— Toujours la faute des autres, hein Lou ? Maudit, des fois...

— Des fois quoi, Phil ? Tu es trop mou avec les employés, ça fait cent fois que je te le dis ; ça prend quelqu'un, ici, pour faire marcher la boîte.

— C'est ça, Lou. T'es irremplaçable. Qu'est-ce qu'on ferait si tu n'étais pas là ?

Ce dernier se dirige vers son bureau et claque la porte.

***

Lou consulte les colonnes de chiffres. C'est sa façon d'échapper à ses idées noires. Si elle s'écoutait, elle ne rentrerait que tard en soirée. Mais ses forces physiques et psychologiques ne lui permettent plus de s'évader aussi longtemps dans les calculs. Si elle se le permettait, elle se servirait un bon verre de gin pour se donner de l'énergie.

La journée ressemblera à toutes les autres. Des chiffres au-dessus d'autres chiffres. Plus faciles à gérer que les maux cachés sous des émotions. Ses pensées de peine et de rupture, d'abandon et de naufrage, la rendent vulnérable. Lou s'étire, les yeux fatigués. Le vendredi est la pire des journées. Le fait de passer les quarante-huit prochaines heures en solitaire l'amène là où elle évite à tout prix de mettre les pieds : dans son tunnel noir d'angoisse. Elle prend le téléphone, appelle Françoise, sa vieille amie, celle sur qui elle peut toujours compter.

Elle est sur le point de raccrocher lorsque Françoise répond.

— Salut, je te dérange ?

— Non, justement. Élizabeth, tu sais cette ex-belle-sœur que tu n'as pas revue depuis… combien de temps déjà ? On parlait de toi et j'allais justement t'appeler pour te proposer d'aller souper ce soir. Ça te dirait ?

— Je t'appelais pour la même raison. Je serai contente de revoir Élizabeth. Dix-neuf heures, ça vous irait ? On pourrait se retrouver à l'Auberge Julien ?

— Parfait. À tantôt.

Par la fenêtre, Lou observe les canards et se surprend à les envier. Vivre une vie de canard ne doit pas être trop compliqué. Depuis quelque temps, l'idée de se débrancher de la réalité lui arrive par flash. Elle aimerait n'être qu'un personnage de papier, une héroïne qui n'aurait aucun lien, ni avec la vie, ni avec l'humain. Elle serait le double d'elle-même, celui qui mimerait les caractéristiques d'une vie de dualité sans ses effets déchirants, comme ça arrive souvent dans les romans.

« J'ai l'impression que je pourrais faire un merveilleux personnage et sortir du rôle à la toute fin de l'histoire, sans les séquelles ni toutes ces blessures reliées à ma vraie vie. Ma vie merdique. »

Elle ferme l'ordinateur, baisse le rideau, éteint les lumières. Tous ont quitté le bureau, même Phil, sans prendre la peine de venir la saluer. Elle sort et trouve la chaleur de juin réconfortante.

La rue est remplie de gens. Sur les terrasses, les femmes et les hommes rient, discutent. À l'instant où elle tourne la tête vers sa droite, elle aperçoit une femme et un homme enlacés. Elle retient un sanglot. Pourquoi a-t-elle été incapable de garder pour elle, le seul homme qu'elle a aimé ? Vite, elle se dirige vers sa voiture. Elle s'essuie les yeux et, sans plus attendre, fait crisser ses pneus. Elle est furieuse et se met à klaxonner la conductrice de l'auto qui passe devant elle.

— Une vieille crisse à qui on devrait enlever son permis. Avance !

— Elle klaxonne de nouveau, passe la droite et file à toute allure sur la rue principale.

Elle ne rétorque rien lorsque le policier lui fait part de la raison pour laquelle il l'a arrêtée. Contravention en main, Lou part plus lentement. Derrière elle, une auto klaxonne. La vieille dame lui envoie la main.

Lou ne se retient pas pour lui faire un doigt d'honneur.

CHAPITRE 3

Boire et oublier

L'auberge Julien est bondée. Lou fait plusieurs fois le tour du pâté de maisons pour se trouver un stationnement.

Dès l'instant où elles aperçoivent Alice, Françoise et Élizabeth se lèvent. Il y a longtemps que les trois filles ne se sont pas réunies. Élizabeth vient rarement à Montréal. Elle préfère l'air de son patelin, le lac Mégantic.

— Élizabeth, tu es resplendissante. C'est la nature qui te donne ce beau teint ?

— Imagine, Lou. Demain, Élizabeth présidera un colloque sur les nouvelles politiques concernant la pratique des sages-femmes. C'est l'occasion qui l'a enfin décidée à sortir de la campagne.

— On ne peut pas dire que vous sortez très souvent de vos villes, non plus. Il y a combien de temps que tu n'es pas venue à Mégantic ?

— Ça fait une éternité.

— Et toi, Lou, comment vas-tu ?

— Je vais bien. J'ai du travail par-dessus la tête, ce qui me tient passablement occupée.

— Comment va ma puce ?

— Justine va bien.

— Tu devrais me l'envoyer quelques jours, je m'ennuie d'elle.

— Je lui en parlerai. Ça lui ferait peut-être du bien. Elle passera la fin de semaine chez ton cher frère…

— Tu as revu Dave ?

— Non, Françoise, je n'ai pas revu Dave.

— C'est dommage…

— Pourquoi ? Et toi, Élizabeth, tu as vu Dave dernièrement ?

— Une fois. Tu sais, Lou, je n'embarquerai pas dans cette confrontation entre mon frère et toi. Tu es mon amie, il est mon frère. Vous êtes des personnes importantes pour moi et surtout, surtout, je considère qu'en tant qu'adultes responsables et parents de ma magnifique filleule, je n'ai surtout pas à m'interposer entre vous deux.

— Tu as raison.

— Et si on mangeait, mes deux filles de ville ? J'ai faim, moi. La route m'a creusé l'appétit. En plus, je veux me coucher tôt pour être en forme demain.

Élizabeth se commande un steak, tandis que Françoise et Lou s'en tiennent à une salade.

— Les filles, que vous arrive-t-il ? Vous n'avez pas faim ? La salade, c'est bon pour les lapins. *Come on !* On est vendredi soir, vous mangerez votre salade lundi midi.

Lou et Françoise se laissent tenter et optent également pour une belle pièce de viande.

Elles bavardent de tout et de rien jusqu'à ce qu'Élizabeth se lève et les embrasse toutes les deux.

— Je dois me coucher tôt. De plus, je veux réviser mon allocution. Salut les filles, je vous aime.

Françoise et Lou la regardent sortir.

— Benoît viendra nous rejoindre plus tard ?

— Non. Il allait souper chez Dave. Tu n'as pas l'air dans ton assiette ?

— La jeune réceptionniste m'a remis sa lettre de démission.

— Lou, c'est la cinquième en un an et demi. Tu ne deviendrais pas intolérante ?

— Elle était…

— Laisse-moi deviner… *incompétente.*

— Françoise, j'ai fait des pieds et des mains pour monter cette firme comptable. J'ai travaillé sans compter mes heures. J'en ai oublié ma fille et ça m'a coûté mon mariage.

— Je sais comment tu as travaillé. Je sais que ce n'était pas facile. Cependant, est-ce que ça te permet de mettre de jeunes réceptionnistes à la porte pour un oui ou pour un non ?

— De toute manière, c'est fait. Lundi, l'agence de recrutement enverra un ou deux candidats.

— Les jeunes commencent leur vie. Sois indulgente. Mais d'abord, applique ce principe pour toi…

— C'est signe de lâcheté. Y'en a assez d'un au bureau. De toute façon…

— Prends du temps pour toi. Tu deviens hargneuse en vieillissant. Tu sais, des comportements nuisibles, ça peut se changer. On peut changer, Lou.

— Oui, mais pour ça, faut le vouloir. Je me sens bien comme je suis…

Lou connaît suffisamment Françoise pour savoir que cette dernière a le flair pour déceler les états d'âme.

— As-tu revu Dave ?

— Mais non. Comme ça, Benoît va souper avec lui ? Justine ne m'a rien dit ce matin.

— Pourquoi ne l'appellerais-tu pas ? Une bonne conversation vous ferait du bien.

— Les autres fois, il revenait plus vite.

— Peut-être veut-il te faire réfléchir ? S'il revenait ce soir, serais-tu prête à le reprendre ?

— Pourquoi pas ? Tu tiens bien le coup, toi, depuis vingt ans…

— NOUS tenons le coup. En passant, j'ai rencontré ton père hier. Il faisait son marché.

— Il faudrait bien que j'aille le voir. Je pense souvent à maman… Je ne sais pas, elle me manque. Ça doit être la quarantaine.

Françoise lui prend la main. Lou essaie de refouler les larmes. Le silence s'installe. Elles se connaissent depuis trop longtemps pour se sentir mal à l'aise.

Les parents de Lou, pour protéger leur fille des méfaits que Montréal pourrait avoir sur elle, avaient décidé de déménager à Saint-Jean-sur-Richelieu. Une fin de semaine, Lou allait la passer à Montréal, la suivante c'était au tour de Françoise de se déplacer vers la Rive-Sud.

Au moment où elles ont décidé de faire leurs études au Cégep Saint-Jean-sur-Richelieu, Françoise a habité chez les parents de Lou.

— Garçon ! La carte des vins, s'il vous plaît.

Les deux filles regardent le serveur s'éloigner et leurs regards se croisent.

— Il te plaît, Lou ?

Françoise la regarde en éclatant de rire. Elle a cette manie de vouloir toujours trouver un amant ou un ami à Lou, lorsque cette dernière se sent malheureuse.

Lou se redresse, remplit son verre et baisse les yeux.

Françoise la fixe. Dieu qu'elle aime cette femme vulnérable qui se fait un point d'honneur à vouloir paraître plus forte que sa fragilité ne le lui permet.

— Arrête de me regarder, on dirait que tu essaies de scruter mon âme.

— L'âme de dame Lou, le cœur écrasé par Dave.

— Je passerai au travers...

— Lou, il n'y a aucun mal à être sensible. Il y a des journées où je suis inquiète pour toi. Tu as l'air complètement défaite. Il y a longtemps que je ne t'ai vue ainsi. Mais au moins, toi, tu as ta fille pour t'accompagner.

Lou a envie de lui crier de se la fermer. Sa fille, elle la perçoit plus comme un encombrement qu'une complice ou une aide. Si elle ne se retenait pas, elle enverrait définitivement sa fille au pensionnat. Lou se sent espionnée, jugée par ce regard de jeune fille. Elle ne se sent plus responsable de rien ni de personne. Mais ça, ça ne se dit pas. Même à Françoise. Lou sent monter une angoisse et a envie de sortir de cet endroit en courant.

Elle cale son troisième verre de vin et commence enfin à se détendre. Au fond de la salle, un jeune couple éclate de rire.

— Ils sont *cute*, n'est-ce pas ? Yeux dans les yeux, main dans la main. Et si on se commandait une autre bouteille ma chère Lou ? Ce soir, j'ai besoin de m'engourdir l'esprit.

La soirée sera ainsi faite. Du vin coulant à flot, de doux souvenirs et des rires. Des ingrédients parfaits pour ankyloser un malaise.

CHAPITRE 4

Triste souvenir

Le fauteuil installé près de la fenêtre de sa chambre est celui où Dave l'a prise pour la première fois. Il avait préféré ce meuble étroit à dossier haut, qui a souvent basculé sous leurs étreintes passionnées, au lit jugé beaucoup trop grand.

Depuis leur rupture, Lou vient s'y réfugier lors de ses nuits d'insomnie. Elle prend de plus en plus conscience qu'elle hait tout de sa vie. Une fois de plus, c'est vers sa mère que ses pensées reviennent.

— Maman, tu n'étais pas heureuse, je le suis si peu. J'ai l'impression que toute ma vie sera ainsi faite. Quelquefois, j'ai vraiment peur de ce tourment qui me hante. Je bascule entre l'envie de vivre et celui de mourir. Comme toi. Et j'ai peur. Peur parce que je suis seule. Peur parce que je me vois vieillir comme toi. Peur, parce qu'hantée par la vie, je disparais dans le noir. Ce tunnel sans fin, sans lumière, qui me mène beaucoup plus loin que tout être normal ne peut imaginer.

Lou, d'un trait, cale son verre. Ce seul geste la maintient en vie.

— Je pense bien, m'man, qu'il y a juste toi qui peux me comprendre, puisque je marche sur la même voie que la tienne. Tu comprends ?

Lou s'étire, remplit son verre à moitié. Elle regarde sa garde-robe. Une lettre, jamais décachetée, s'y trouve. Une lettre écrite par sa mère, avant de mourir.

— J'ai toujours eu peur d'ouvrir cette lettre. Mais peut-être ai-je tort. Peut-être renferme-t-elle les plus beaux mots d'amour qu'une mère peut dire à sa fille. Parce que je crois que tu m'as aimée. C'est certain que j'aime Justine. Je trouve juste… je ne sais pas. On dirait que son père l'a toujours aimée plus que moi.

Elle fixe le plancher au travers de son verre de gin, vide.

— Tu te rappelles de ce beau souvenir, maman ? Écoute-le attentivement, car il peut s'effacer et s'envoler d'un claquement de doigts. Attends ! Je me verse un autre verre.

Elle essuie une larme.

— Une balade en auto, un certain dimanche après-midi. Un ciel bleu, une douce chaleur, des gens souriants sur le trottoir. On était au mois de mai, je m'en souviens très bien à cause de l'odeur du bouquet de lilas que je t'avais cueilli. Lorsque je te l'ai donné, tu as comparé la couleur de mes yeux aux premières pousses de feuilles sur le lilas. « Un vert tendre comme les yeux de ma Louve » m'as-tu chuchoté, en posant un baiser sur ma joue.

Les larmes roulent sur ses joues creuses. Lou respire profondément.

— Papa, une main sur le volant et l'autre dans la tienne, disait qu'il t'aimait. Je me demandais pourquoi ce n'était pas toujours ainsi.

Lou se renverse sur le lit.

— Te souviens-tu de la suite ? Tu as osé dire à papa que tu aimerais avoir un autre enfant. De façon brutale, il a enlevé sa main de la tienne et il t'a dit : Dis-moé pas que tu vas r'commencer à me casser les oreilles avec ça. On n'a assez d'une.

Lou se lève, met un châle sur ses épaules, regarde autour d'elle.

— Maman, parce que tu as brisé le silence, la magie était passée. Tout de suite nos regards se sont croisés lorsque j'ai décidé de me coucher sur le siège et de me boucher les oreilles. Les battements de mon cœur s'affolaient...

Une gorgée de gin.

— Pourquoi papa m'a-t-il engueulée au retour ? Pourquoi l'as-tu laissé faire ? Te souviens-tu de ses paroles ? « Tu es aussi égoïste que ta mère ». Pourquoi *égoïste* ?

L'image de son père, entrant dans sa chambre en criant, comme si d'avoir gueulé après sa mère avait ouvert une valve, l'amène à ressentir la douleur des coups reçus et qui ont résonné fortement dans ce corps d'enfant.

— Lou... égoïste comme sa mère. Quel âge j'avais ? Huit ans, dix ans, douze ans ? Pourquoi nous battait-il ? Pourquoi ne l'écoutais-tu pas ?

Ses mains tremblent, une nausée lui monte à la gorge. Lou se sent flotter entre la légèreté de la mort et la lourdeur de la vie. De peine et de misère, elle se redirige vers son grand lit froid.

— Maman, maman, maman...

Lou se berce de ce nom, jusqu'à ce qu'un sommeil embrouillé la sorte de cette dure réalité. De ce brouillard s'élèveront ce même rêve et ces mêmes cauchemars qui l'accompagneront tout au long de cette nuit.

CHAPITRE 5

Sommeil perturbé

C'est le samedi que Lou se sent de plus en plus coincée entre sa mère et sa vie. Si on lui demandait de trouver un synonyme à cette journée, spontanément, elle crierait ANGOISSE. Ses pensées vont vers Justine. Comment se fait-il que cette enfant ne comble plus ce vide ? Comment se fait-il qu'elle, Lou, ne soit pas comme les autres mères ? Lorsque Dave était à la maison, c'était facile. Mais depuis qu'elle est seule à tout affronter, et ce, malgré la garde partagée, c'est beaucoup trop pour elle. Elle déteste les samedis. Elle boit le gin laissé dans le fond de son verre et ferme les yeux. Elle n'a plus envie de se battre et décide, comme pour se cacher d'un destin malheureux, de se mettre la tête sous les couvertures.

***

Il est quatorze heures. Elle bouge malgré son corps engourdi. Elle savoure ce demi-sommeil, celui qui précède le réveil, qui la replonge au cœur de sa réalité.

Les yeux au plafond, elle tourne et se retourne sur elle-même, retardant le saut du lit. Poser un pied sur le plancher la basculera encore plus profondément dans son gouffre.

Elle a des nausées et prend un somnifère.

— Pourquoi ne pas prendre la bouteille et en finir ? Comme j'aimerais que Dave me berce ! Où est-il ? Avec qui est-il ? Je ne suis qu'une épave. Est-ce que Justine ne serait pas mieux avec une autre mère ? Il devrait exister des substituts de mère comme on trouve des substituts de tout, aujourd'hui. Ainsi, avec une mère de remplacement, Justine aurait quelqu'un pour la réconforter et l'écouter.

Une fois de plus, ces pensées l'envahissent. Une fois de plus, pour tenter d'amenuiser peurs et angoisses, un sommeil chimique la fera sombrer.

***

— NON !

Un hurlement plus qu'un cri.

Ce rêve récurrent la torture. Deux souris blanches, amies, se promènent en pleine nature. Elles jacassent comme deux pies lorsque, soudain, un aigle plane au-dessus d'elles. Elles se mettent à courir à travers les arbres. L'une réussit à se cacher sur une minuscule branche. Son amie, affolée, s'apprête à être dévorée et du même coup, l'aigle déploie ses ailes et s'envole vers sa deuxième proie. Manquant de peu la minuscule branche, il effleure la petite souris, qui tourbillonne et se laisse emporter par le vide...

Lou ouvre les yeux, fixe son cadran. Seize heures trente. La sonnerie du téléphone la fait sursauter.

— Maman, je te dérange ?

— Que se passe-t-il ?

— J'avais juste envie d'entendre ta voix. Je trouve ça plate que l'on se soit laissées sur une mauvaise note.

— Justine, tout va bien. Tu es seule ?

— Non, papa est là avec…

— Il n'est pas seul ?

— Il est avec Benoît…

— Je croyais que c'était hier que Benoît… Justine, tu me caches quelque chose. Si ton père est avec une autre femme, dis le-moi.

Justine raccroche. Son cœur bat la chamade. Elle n'avait pas envie de parler de la présence de cette femme chez son père.

Lou étouffe. Elle téléphone à Françoise pour lui raconter ses appréhensions, une femme, Dave, Justine. Françoise la réconforte, lui demande de bien respirer en attendant sa présence et celle d'Élizabeth. En raccrochant, Lou s'empresse de passer sous la douche avant que les images de sa mère, de Dave, d'une autre femme et d'un aigle quelconque reviennent.

***

Lorsqu'Élizabeth et Françoise entrent dans la maison, elles entendent Lou sangloter. Elles trouvent cette dernière couchée sur le plancher de la salle de bains. Des traces de vomissures coulent du rebord du siège de toilette. Elles soutiennent Lou et l'assoient. Lou pleure de plus en plus. Françoise et Élizabeth l'enlacent.

— Benoît est à la maison, Françoise ?

— Oui…

— Je savais, Justine m'a dit que Benoît était avec son père. Elle me ment et est de connivence…

Françoise essuie les dégâts, Élizabeth pose ses mains sur les joues de Lou.

— Tut, tut, Lou. Je ne crois pas que la puce soit de connivence. Tu n'as pas pensé qu'elle a peut-être mal, elle aussi ? Secoue-toi un peu.

— Et toi, Élizabeth, tu n'as pas pensé que ta puce…

Lou se tait, elle pourrait dire de choses qu'elle risquerait de regretter.

— Tu veux sortir, Lou ?

— Non, je ne veux pas sortir. Vous voulez un verre de gin ?

— Non, Lou.

Lou se lève et va chercher un verre.

— Alors, je boirai seule. Et ne me regardez pas avec cet air pitoyable. Vous avez l'air de deux vieilles filles qui ne savent plus s'amuser. J'ai envie de me payer une cuite. Tant pis pour vous autres si vous ne voulez pas trinquer à ma solitude.

— Arrête de t'apitoyer, tu n'es pas seule. Nous sommes là.

— Chère Élizabeth, toujours aussi compréhensive. Toujours au-dessus de tout. Toujours…

— Non, Lou, tu te trompes. Je ne suis pas au-dessus de tout. J'ai décidé de vivre ma vie au lieu de survivre.

— Okay, les filles. On n'a plus douze ans. Nous sommes des femmes responsables, capables de s'exprimer sans se blesser.

— Tu as raison, Françoise. Excuse-moi, Élizabeth. J'ai commencé à faire des crises d'angoisse, j'étouffe.

— Ça ne te tenterait pas d'aller consulter ?

— Je ne suis pas folle, Françoise.

— Je pensais la même chose que toi lorsque j'ai fait ma dépression.

— Je ne fais pas de dépression, moi, Françoise.

Élizabeth hoche la tête. Elle connaît bien, elle aussi, tous les symptômes de la dépression. Plusieurs jeunes mamans, après leur accouchement, subissent les affres de ce mal du siècle. Souvent, elle les accompagne et fait de la relation d'aide auprès de ces dernières. Élizabeth sait bien que Lou est en train de sombrer. Toute la soirée, cette infirmière et sage-femme expérimentée, du coin de l'œil, observera cette louve blessée.

Une fois cette dernière profondément endormie, assommée par les médicaments et le gin, Élizabeth fait part de ses observations à Françoise. Toutes deux constatent que celle qui, pour l'instant, dort si paisiblement, a besoin d'aide.

Après plusieurs heures d'attente sans que Lou ne se soit réveillée, Élizabeth et Françoise décident de partir. Elles pensent que Lou retrouvera son aplomb au réveil.

CHAPITRE 6

Une soirée mémorable

Réveillée en sursaut, Lou se sert un verre de gin, puis deux autres. Les somnifères, avalés à toute vitesse, l'aideront à oublier. Elle a attendu le départ de ses deux amies pour se rendormir. Elle est capable, et c'est une de ses grandes forces, de simuler lorsque la situation s'y prête.

Elle se sent comme une poupée de chiffon et n'a plus d'énergie. Elle commence à suffoquer. De peine et de misère, elle se traîne à la salle de bain, s'agrippe au lavabo et laisse couler l'eau froide. S'asperger le visage, allumer une bougie et prendre un bain sont les seules actions concrètes qu'elle peut, pour l'instant, poser.

La baignoire remplie, elle s'y glisse. Enfin, une sensation douce sur ce corps abandonné. Elle fixe la flamme de la bougie.

— Ça fait un mois que j'attends ton appel, Dave. Un long mois à implorer tous les saints du ciel.

Immergée jusqu'au cou, Lou se rappelle tous les détails de cette soirée d'anniversaire.

Tout avait si bien débuté. Justine passait la nuit chez son amie, Rose. Dave avait organisé une petite soirée avec Benoît, Françoise et Lou. Tous les quatre avaient bien arrosé le souper. Ils ont dansé une partie de la soirée, ri et déconné comme des adolescents. Vers minuit, Benoît et Françoise les ont quittés. Lou n'avait pas envie que la fête se termine, elle s'était dirigée vers le cabinet à boisson. Elle s'était toujours dit que ses quarante ans, elle les fêterait grandeur nature.

— Alice, tu as assez bu.

— Ne m'appelle pas Alice. Je déteste ce prénom, avait-elle crié. Tout le monde a des problèmes. Tu te prends pour qui avec ton petit air protecteur ? Tu travailles pour la protection de la jeunesse, Dave, pas pour la protection de ta femme. Ne viens pas me faire chier.

Il s'était dirigé vers elle.

— Repose cette bouteille, tu es déjà assez éméchée. Il faut que je te parle.

Elle avait porté le goulot à sa bouche et avalé une bonne rasade tout en fixant Dave, avec un air de défi. Il avait tendu la main vers la bouteille, le poing de Lou était parti ; sur le visage de Dave, un filet de sang longeait le sillon menant aux lèvres.

Il l'avait giflée, en criant qu'il ne pouvait plus supporter sa violence : « Tu es malade, Alice. Va te faire soigner. »

Ce soir, immergée dans son bain, elle se rappelle encore très clairement du son provoqué par le claquement de la porte, annonçant le départ de Dave. Tout comme elle se rappelle, tout aussi clairement, du restant de cette soirée de fête.

Elle avait arpenté la cuisine en évitant de regarder la bouteille de gin sur la table. Elle avait tendu la main, caressé le verre lisse et froid, recouvert d'une étiquette rouge et blanche. Lou avait eu l'impression de tenir une bouée entre ses doigts. Une bouée transformée en ancre, capable de la caler au plus profond de ses abîmes.

La tentation avait été trop forte.

Elle savait qu'en ingurgitant une seule autre gorgée, tout se précipiterait. Le monstre caché et assoiffé bougerait la queue pour ainsi se permettre d'agiter ses remous.

Couverte par l'eau de son bain, Lou se souvient très bien du goût vaseux resté en bouche et de la suite de son dialogue avec la bouteille.

« Un jour, je réussirai à te maîtriser, je pourrai te regarder, te fixer, sans jamais aller explorer ton contenu. Cependant, ce ne sera pas aujourd'hui, j'ai trop de peine à noyer, je te trouve trop attirante lorsque mes grands moments de détresse me prennent d'assaut. Je te jure, un jour, ma sobre grandeur t'alourdira et plus aucun lien ne nous unira. »

Tant d'années de bonheur évanouies. Lou s'affole en repensant à cette veillée, une des plus pénibles que l'abus de boisson a pu provoquer. Les souvenirs ne la quittent plus et malgré la température élevée de l'eau qu'elle laisse couler, elle n'arrive pas à se réchauffer.

Elle se souvient qu'elle s'était levée et avait empoigné la bouteille avant de faire son choix ; ou elle téléphonait à Dave et s'excusait ou elle allait s'éclater dans un bar.

Elle s'était excusée. Dave lui avait signifié que c'était terminé, qu'il n'en pouvait plus de sa violence. Avant de raccrocher, il lui avait ordonné de ne plus le rappeler. Il ne tolérerait pas son harcèlement téléphonique, comme celui qu'elle a déjà utilisé lors d'une rupture précédente. Celle-ci était définitive. Il irait demeurer chez sa mère en attendant de se trouver un logement et prendrait leur fille une fin de semaine sur deux.

Tenant le récepteur près de sa bouche, Lou lui avait hurlé, avec rage, un « VA CHIER ! » avec une envie folle de le blesser. Une colère si sourde et si aveugle l'avait prise à la gorge qu'elle avait fracassé une chaise contre le mur. Puis, elle était sortie fêter ses quarante ans, à sa façon.

« *Je ne peux plus supporter ta maudite violence !* » Ces paroles avaient martelé son crâne. Sur le trottoir, les passants l'évitèrent lorsqu'elle s'était mise à crier « C'est vrai que je suis violente. Pis ça ! »

Lou avait pris place au bar. Elle s'était trémoussée une bonne partie de la nuit. À la fermeture, le gars qui voulait la raccompagner s'était vite fait remettre à sa place. Elle avait le don pour les petits coups de griffes. Les efforts déployés pour maîtriser ses pas lui firent regretter de ne pas avoir accepté la proposition du gars.

Tout le poids de l'alcool s'était localisé sur son centre d'équilibre, la faisant passer de gauche à droite. À un coin de rue de sa résidence, elle s'était mise à vomir. Se relevant, une nouvelle nausée lui avait fait plier les genoux. Elle se rappelle encore ce goût vaseux. Un couple avait vainement tenté de l'aider, mais des cris de bête abandonnée étaient sortis de sa gorge : CRISSEZ-MOI LA PAIX, VOUS N'AVEZ JAMAIS VU ÇA UNE FEMME SAOULE ? VOUS N'AVEZ PAS FINI DE ME REGARDER COMME ÇA ? LAISSEZ-MOI TRANQUILLE !

Après avoir fait des efforts considérables, elle s'était retrouvée devant chez elle, puis, péniblement elle était parvenue au haut de l'escalier. L'image reflétée par la vitre de la porte l'avait presque fait reculer. Lou croyait avoir affaire à une personne inconnue, entrée chez elle par effraction. Mais lorsqu'elle tituba, elle s'aperçut bien que cette intruse imitait à la perfection ses propres gestes. Lou vit, sur le visage de cette inconnue, de grosses traces noires qui lui descendaient jusqu'au menton, ce qui accentuait ses rides. Et c'est à la vue de ce triste reflet que Lou reconnut son propre regard terne et vide de sens.

Les épaules arquées, la tête hochant de gauche à droite, elle avait déployé tant d'énergie pour arriver à s'agripper à la poignée, à mettre la clé dans la serrure, à tourner la poignée et à ouvrir la porte qu'elle s'écrasa de tout son long sur le tapis du salon pour ne se réveiller que le lendemain matin.

Ces souvenirs lui donnent la chair de poule. En sortant de son bain, Lou ressent la lourdeur de son corps. En passant devant le miroir, elle ne peut s'empêcher de lancer : « *Regarde-toi, Alice, au fond de ton pays des merveilles. Alice l'alcoolique qui n'en finit plus de vouloir se guérir de la bouteille et de l'homme. Alice, qui n'accepte même pas ce prénom, parce qu'il va comme un gant à une femme fragile. Alice, la petite Louve à sa maman, incapable d'assumer son rôle de mère.* »

Et comme elle l'avait fait le lendemain de veille de cette soirée de beuverie, alors qu'elle s'était réveillée avec de la vomissure plein les cheveux et une migraine à tout casser, Lou se dirige vers sa chambre et, de sa main droite, prend la bouteille de gin qui traîne toujours sur sa table de chevet puis se dirige vers l'évier de la cuisine. Elle arrête son geste juste comme elle allait en vider le contenu.

— Non, c'est beaucoup trop facile de ne pas boire quand il n'y en a plus à la maison.

Elle ressent dans le plus profond de son être que cette fois-ci est la bonne. Elle place la bouteille bien en vue.

— C'est fini ! Je vaux beaucoup plus qu'une bouteille. Tu vas voir qui est la plus forte.

Elle s'installe dans sa bergère, ouvre le livre traînant sur sa petite table à café : « Bienvenue dans ton nouveau pays, Alice ! »

L'écho de sa voix traverse la pièce. Lou se sent soulagée. Elle passera, enfin, un dimanche tout à fait sobre.

CHAPITRE 7

Une grande force

Une angoisse accompagne le réveil de Lou. Elle prépare son déjeuner. Une nouvelle étape de vie commence. Plus de boisson, une meilleure alimentation et une petite marche quotidienne.

Elle veut que Dave revienne. Cette maison, ils l'ont trouvée ensemble, décorée d'un commun accord, en visitant plusieurs boutiques. Lorsqu'il est parti, il lui a tout laissé.

Elle hésite à le joindre sur son cellulaire. Et s'il ne revenait pas ? À cette seule pensée, son estomac tressaille et elle ressent une pointe d'angoisse.

— Respire, Alice.

Le monstre agite sa queue. Ces instants la font paniquer. La peur, la chaleur et le froid lui mouillent la peau. Elle se dirige vers la bouteille.

— Je suis forte. Je n'ai besoin d'aucune substance. J'ai seulement besoin de lui.

L'attaque de panique n'a duré que quelques minutes. Avaler trop d'air, nager à contre-courant, tout lui pèse sur le bout de la langue. Elle attendra d'être plus sûre d'elle, plus forte pour appeler Dave.

Elle regarde à nouveau la bouteille de gin, lui fait la grimace.

— Je t'avais pourtant avisée que tu n'aurais pas le dessus sur ma vie. J'en ai marre de toute cette dépendance. Tu ne me bousculeras plus. Je deviendrai la reine de ma destinée. Comme Élizabeth et Françoise qui, elles, ont toujours su quoi faire et comment le faire. Leur vie leur appartient, pourquoi agirais-je de façon différente ?

La bouteille semble lui retourner sa grimace. Lou s'imagine très bien les mots que ce contenant pourrait lui répondre : *ah, oui, cause toujours et ce ne serait pas la première fois.*

Par bravade, Lou, de ses deux mains, empoigne fermement la bouteille, dévisse le bouchon, hume son contenu et la referme.

— Tu vois, c'est moi qui ai le contrôle. Je suis forte, beaucoup plus forte que tu ne le crois.

Enfin, elle respire. Un combat s'achève. Une ère d'indépendance, de bien-être, de nouvelle vie, s'amorce. Elle se sent assez forte pour affronter tous les soubresauts, même les tremblements de ses mains. L'espoir est plus intense que son manque de gin. Un vent de liberté s'infiltre en elle. C'est la première fois, de façon si convaincante, qu'elle se permet de faire le point sur son état d'être. Une métamorphose s'opère.

Toute la journée elle s'est tenue occupée. Elle a repris sa lecture, celle qui a pour sujet la quarantaine. Lou s'est laissée prendre dès les premières lignes. Ce décodage de maux et d'émotions, elle veut le faire sien. Puis, elle songe à changer son attitude au travail. Rappeler Vivian, s'excuser. Elle regrette certains gestes. Et puis tout à coup, elle aimerait prendre Justine dans ses bras et lui dire qu'elle l'aime.

— Comment se fait-il que je me sois compliqué la vie ? J'ai une belle profession, de bons amis, mis sur pied une firme comptable, de l'argent plein les poches, une auto, une maison, une femme de ménage, une vie de rêve. Que demander de plus ? En plus, je suis amoureuse d'un gars qui me mérite et que je mérite. Et je suis une mère.

En se tournant vers la bouteille, Lou la regarde avec dégoût, puis reprend sa lecture.

— Je sais qu'en moi, je possède une grande force.

CHAPITRE 8

Une agréable journée

Au bureau, Lou trouve Phil assis à sa table de travail, l'air défait.

— Oh ! Dure fin de semaine ?

— Tu parles, des bébés poignés avec la gastro-entérite. De plus, ma femme bougonne parce que je ne suis pas à la maison à dix-sept heures. Je n'ai pas assez de m'occuper des enfants, il faut que je sois le bon petit mari parfait. Maudit bordel !

— Tu veux un café ?

— Et l'ouvrage qui déborde. Je pense qu'on devrait embaucher un comptable de plus. Et cette maudite entrevue aujourd'hui, pour une réceptionniste.

— Phil, retourne à la maison. Je m'occuperai de tout.

— Crois-tu que j'aie envie de retourner à la maison ?

— Tu es déjà tanné de…

— Non, mais vivre en couple est certainement la chose la plus compliquée sur terre.

— Tu as raison, Phil, là-dessus tu as raison. Pour l'entrevue, je serai tendre et compréhensive. Ne t'inquiète pas. Quant à un nouveau comptable… pas de problème. Tu as quelqu'un en vue ?

— Qu'est-ce qui se passe avec toi ?

— Rien de spécial.

***

La nouvelle réceptionniste se prénomme Johanne. Se souvenant des conseils de Françoise, Lou s'est gardé d'imposer, dans la description de tâches de la nouvelle employée, la préparation et le service du café.

Quant au nouveau comptable, Phil et Lou ont décidé d'embaucher Stéphane, le jeune stagiaire de l'été dernier.

— Merci, Lou. Je n'aurais pas pu tenir le coup. Et imagine si toi ou moi devrions prendre congé pour une urgence.

— Phil, relaxe. Stéphane est débrouillard, il connaît la routine du bureau et est minutieux. Tout le travail qu'il a accompli était excellent. On devrait même lui proposer une association. Qu'en penses-tu ?

— Bonne idée ! On en reparlera.

Malgré les tremblements de ses mains, qu'elle tente de dissimuler, de la bouche sèche et de l'angoisse incroyable qui l'habite, Lou passe au travers de cette journée sans accrochage. Elle s'est bien retenue une fois ou deux de ne pas crier face aux maladresses de Johanne.

Puis en sortant du bureau, elle décide d'aller chercher sa fille à l'école. En la voyant, Justine lui saute au cou. Sous l'impact, Lou se retient de ne pas la repousser. Elle se retient également pour ne pas poser des questions sur la façon dont son père a passé la fin de semaine.

CHAPITRE 9

Lettre à ma Louve

Depuis quatre jours, les idées de Lou sont plus claires. Quoiqu'il soit plus difficile de contrôler les tremblements reliés à son état de manque, elle parvient tout de même à garder la tête hors de l'eau. Au bureau tout semble aller rondement et une certaine vitalité s'y est installée. Stéphane et Johanne remplissent leurs tâches et n'ont pas besoin d'être constamment surveillés.

Il y a longtemps que Lou ne s'est pas sentie aussi bien. Elle quitte le bureau contente de sa journée et empressée de retrouver sa fille qui, pour la prochaine fin de semaine, ira chez Élizabeth. Elles se rendent au magasin ensemble, la mère et la fille, afin d'acheter des effets dont Justine a besoin pour cette petite escapade. En plus, elles dîneront toutes les deux au restaurant. Justine se sent flotter. Enfin elle retrouve sa mère, quoiqu'elle trouve cette dernière peu bavarde.

Lou a la tête ailleurs. Elle a déjà un plan tout tracé pour attirer son Dave.

***

Lorsqu'elles rentrent à la maison, Lou se fait un point d'honneur de passer devant la bouteille de gin. Justine sourit.

— Ça va mieux, maman ?

— Oui, ma puce. Tu es contente d'aller chez Élizabeth ? Je ne suis pas trop drôle ces temps-ci.

— Je commence à m'habituer. Toute la fin de semaine, papa a eu l'air tout aussi songeur. Tu sais, je t'ai menti lorsque tu as appelé…

Lou l'interrompt, elle préfère ne rien savoir avant de mettre son plan à exécution.

— Ne pense pas à ça. Tiens, Élizabeth arrive.

Lorsqu'Élizabeth franchit la porte, elle ne reconnaît plus Lou qu'elle découvre toute souriante. Quelle transformation.

— Ah ! Ça fait du bien de te voir ainsi ! La puce est prête ?

— Donne-moi cinq minutes.

Lou fait part de sa transformation à Élizabeth. Elle sent qu'elle réintègre son corps, son esprit, son âme et son cœur. Lorsque Justine et Élizabeth passent la porte et qu'elles les voient sortir de la cour, Lou attend trente minutes, le temps nécessaire qu'il faudrait à Justine au cas où elle aurait oublié quelque chose et devrait retourner à la maison.

Maintenant, elle se sent assez sûre d'elle pour téléphoner à Dave.

— Salut, c'est moi.

Le souffle court, le cœur qui palpite, elle est contente, car il n'a pas raccroché. Les jambes lui flanchent quand il lui dit qu'il voulait l'appeler.

En raccrochant le combiné, elle ressent une espèce de légèreté qui flotte autour d'elle.

— Je lui manque, je le sais. Il prétend vouloir me parler de quelque chose d'important. Pas besoin d'excuse mon amour. Comme je peux t'aimer !

Le lit est vite refait, la maison parfumée. La fébrilité est palpable. Elle portera sa robe de nuit légère et vaporeuse, celle que Dave lui a offerte le soir de son anniversaire. Elle se douche rapidement. D'ici une heure, il se tiendra devant elle.

***

— Salut Alice, oh pardon ! Lou. Ça va ?

— Oui, je me sens en pleine forme.

— Je suis content de te l'entendre dire. Élizabeth et Justine sont déjà parties ?

— Oui et Justine était contente de cette petite escapade. Je pense qu'elle ne trouve pas la situation facile. Moi non plus, Dave.

Il a les traits tirés, les cernes plus prononcés sous ses beaux yeux verts. Alice connaît peu d'hommes de quarante-trois ans en si bonne forme. Cinq pieds et dix pouces de muscles, sans une once de graisse.

Sa bouche s'ouvre, le charme vient s'amplifier lorsque des petites fossettes apparaissent sous une barbe de quelques jours.

— Je suis une femme nouvelle, Dave. Il y a six jours, j'ai décidé d'arrêter de boire. Et c'est magique. Pas de gin, pas de vin, rien. J'ai été en mesure de constater que la boisson, effectivement, commençait à me donner des airs et des comportements bizarres. Tu avais raison. Je suis là qui bavarde, comment vas-tu ?

— Ça va.

— Je suis tellement contente que tu sois revenu. C'est bête à dire, mais j'ai besoin de toi.

Sans plus attendre, elle se blottit contre lui et l'embrasse à la base du cou. Les bretelles qui retiennent sa robe de nuit glissent sur ses épaules.

Écoute, Alice...

Il se dégage. Elle est nue devant lui.

Il l'embrasse, passionnément. Elle le caresse, comme un bien précieux. Sans plus attendre, elle porte ses mains partout sur le corps de son homme. Pour l'instant, c'est tout ce dont elle a besoin.

Ils font le parcours du salon à la chambre à coucher, en explorant chaque centimètre de peau. Il pose les lèvres sur ses mamelons. De sa main droite, il effleure cette peau de femme sauvage. Le corps de Lou frissonne, lorsque la langue de son amoureux se délecte de chaque repli de sa féminité.

N'y tenant plus, elle le supplie de la prendre. Il la bouscule sur le lit et la pénètre violemment. Elle jouit instantanément.

Qu'il fait bon de ne plus sentir un poids sur son plexus. Lou a su reconquérir le mâle.

— Je t'aime.

D'un bond, il est debout et s'habille.

— Tu ne passes pas la nuit avec moi ?

— Je ne peux pas, j'ai un rendez-vous.

Les mains de Lou tremblent. Instinctivement, elle les porte à son cœur. Sa respiration est profonde et saccadée. Un vertige la prend subitement.

— C'est ce que je voulais te dire l'autre soir, mais souviens-toi... tu étais dans un tel état. C'était lâche de t'avouer une telle chose à ton anniversaire.

— M'avouer quoi ?

Dave ne sait plus sur quel pied danser.

— Il y a trois mois, j'ai rencontré une autre femme...

— TROIS MOIS ? Tu veux dire... Non. Non. Je rêve, là ! Tu veux dire trois semaines, en attendant que nous deux...

— Non, Alice !

— NE M'APPELLE PAS ALICE. TROIS MOIS ! DONNE-MOI AU MOINS UNE EXPLICATION !

— Il y a mille raisons, mille explications. Je t'aime... je t'ai tellement aimée et je crois que je... il y a aussi Justine.

— Laisse Justine en dehors de ça. Tu m'aimes ? Dis-le, espèce de salaud !

— C'est trop difficile pour moi de te voir, lamentablement, te détruire. Justine en souffre, moi aussi. J'ai tout essayé. Je ne crois plus à tes promesses. Combien de fois m'as-tu répété que c'était ta dernière brosse, Alice ? Je t'ai cru trop longtemps. Excuse-moi pour ce soir, je n'avais pas l'intention... seulement... Je m'excuse... J'étais content que tu m'appelles... mais... Excuse-moi, Alice.

Tombée à côté du lit, nue, le coup a porté durement.

Dave lui tourne le dos et se dirige vers la porte. Il aimerait lui dire le sentiment de culpabilité ressenti au fond de ses tripes. De la force qu'il doit déployer pour en venir à peser le pour et le contre de la situation. Lui dire combien il l'a aimée et essayer de lui faire entendre raison. Il aimerait lui mentionner que le fait de la voir ainsi choir et dépérir sous ses yeux, lui demande trop de force et d'énergie et qu'il doit se protéger de cet amour trop grand qu'il ressent pour elle. Mais il ne veut pas sombrer et il a déjà trop souffert. Et surtout, surtout, il veut protéger Justine.

Il aurait envie de lui crier « Je t'aime, recommençons ». Que cette femme qui lui colle après depuis trois mois, n'est rien d'autre qu'une simple amie. Mais il préfère se taire, car il sait trop bien qu'à la première épreuve, Lou, qui refuse toute aide extérieure, rechutera.

Une poussée de colère traverse Lou. Sa tête est trop pleine pour y faire entrer quoi que ce soit. Une très violente décharge la secoue. La lampe de chevet se met à virevolter et, avec un hurlement de haine, l'objet manque de peu la tête de Dave, pour venir atterrir sur la bouteille de parfum.

Dave se retourne et la grimace qu'il voit sur le visage de Lou lui fait craindre le pire.

— Fais-toi soigner, Alice, tu as des osties de gros problèmes. À la moindre contrariété, tu exploses. Je déteste ta mimique de haine. Tu veux que je te dise ? Elle me fait peur. Je n'en peux plus. J'ai même peur pour Justine. Je crois que je demanderai la garde de notre fille.

La porte se referme. L'odeur du parfum sur le tapis se répand à travers la pièce.

À l'intérieur de son corps, Lou ressent un raz de marée d'une force incroyable. Chaque vague en est une de souffrance et la heurte. En se frappant la poitrine, elle espère extirper toute odeur, toute chaleur de Dave.

Ses jambes fléchissent. Elle bat des pieds et des mains sur ce plancher où, si souvent, ils ont étendu leurs corps extasiés. Le bateau coule, le gouffre de la folie l'emporte. Une balise à peine visible entre le présent et le passé la ramène à des souvenirs, que de douloureux souvenirs.

Elle revoit le salon familial. Quel âge a-t-elle ? Sur la joue droite de son père, une ecchymose. Cette blessure, il se l'est infligée en s'écroulant, saoul mort. Sa mère a aussi une plaie, son père ayant utilisé plus de force à la frapper qu'à se tenir debout.

Le corps de Lou ne répond plus. L'énergie lui manque. Elle essaie désespérément de se relever. Elle ne veut plus penser.

Il fait noir, très noir, trop noir. Le froid qui prend toute la place contraste tristement avec la chaleur de leur coït. Les frissons la secouent, elle enfile un pyjama chaud, s'enroule un foulard autour du cou. Comme elle aimerait avoir la force de serrer plus fort ce bout de tissu. La porte de sa penderie est grande ouverte, l'invitant à venir s'y réfugier.

Derrière la pile de chandails de laine, sur la plus haute tablette, elle cherche sa vieille boîte jaunie. Sa grosse boîte de mauvais souvenirs. Sous son couvercle, elle tâte la bouteille. Un gage relié à cette promesse que son père lui avait faite après qu'elle l'ait trouvé moitié saoul, moitié mort. Comme elle avait été idiote de le croire !

Trop bouleversée par ce rejet, elle n'est même pas consciente que la promesse de son père ressemble étrangement à la sienne.

Ses yeux fixent la bouteille pleine de ce liquide enivrant. Même dans le noir, elle l'aurait reconnue parmi mille autres. Elle la caresse, cette bouteille, la tient solidement entre ses doigts tremblants, la dorlote. De la même façon, elle avait tenu Justine la première fois qu'elle l'a prise entre ses bras, ayant eu peur de l'échapper et de briser ce trésor de fille. Cette idée de bébé et de naissance, elle ne veut pas y penser. Elle préfère monologuer avec ce contenant.

— Ça fait longtemps que tu m'attendais, hein ? Voilà l'occasion spéciale, celle tant espérée.

D'un coup sec, elle fait sauter le bouchon. Le liquide dégouline sur son menton. Elle se gargarise pour enlever toutes les traces de ce mauvais goût d'homme.

— Tu sais, toi et toutes les autres, et qu'importe la forme de bouteille, avez toujours été mon radeau de survie.

Elle pose ses lèvres froides sur le corps du contenant.

— Toi et moi, bouteille souveraine, buvons à mon cher père. À ton legs, papa !

Les lèvres de Lou ne quittent plus son héritage, elle cale ce gin sans grimacer. Elle en regarde le contenu.

— Ah, j'oubliais ! Je porte maintenant un toast à cette crisse de vie. Enfin ! Que ce poison sacré m'engloutisse une fois pour toute !

Seul le goût sauvage lui donne la force de se relever. Elle a atteint le fond, le monstre l'engloutit.

L'odeur du parfum lui donne la nausée. La bouteille vide sous le bras, elle se dirige vers la cuisine. Là, l'autre bouteille lui sourit presque. Lou ne lui fait plus de grimace. Elle pressent une soirée funeste. C'est pour cette raison qu'elle veut s'engourdir mieux et plus fort. Elle n'en peut plus. Elle ne comprend plus le rôle qu'elle doit jouer auprès de sa fille et dans la vie. L'homme qu'elle aime tant ne comprend rien à ses souffrances. Elle non plus d'ailleurs. Elle commence à délirer.

— Viens avec moi sous les couvertures. Viens voir ce que des mains de chienne peuvent faire à un goulot lisse et dur. Viens me pénétrer, me saisir. Ingurgite-moi, mouille-moi. Ne t'inquiète pas, je ne laisserai couler aucune de tes gouttes. Pour une fois, c'est toi qui me savoureras.

Son plaisir a duré. Elle le renouvelle une autre fois. Sa jouissance est d'une violence incroyable. Elle tourne la tête à gauche et à droite, promène ses mains sur tout son corps. Elle pétrit ses seins de façon brutale et tente par tous les moyens de les mordre. Une tache de sang coule de son mamelon gauche.

Le bouchon retiré de son objet de jouissance, haletante, continuant de se masturber de son autre main, elle atteint une fois de plus l'orgasme.

— À moi maintenant de m'engouffrer.

Tremblante, sa main approche le goulot de sa bouche. Lou se délecte du nectar, ne se rassasie pas. Ce goût, différent de cette bouteille héritée, la porte vers l'effet d'engourdissement souhaité.

Ses pensées vont dans tous les sens. Son père, sa mère, Françoise, Benoît, Élizabeth. Et Justine. Et Dave. Lou, amarrée sous une épaisse couche de vase, ferme les yeux. La peur de sa propre noirceur l'oblige à espérer un semblant de clarté. Elle ouvre les yeux. Son regard se pose, une fois de plus, sur sa boîte de mauvais souvenirs. Elle se lève, se dirige en titubant vers sa garde-robe et prend l'enveloppe blanche, toujours scellée, qui se trouve sur le rebord de la boîte. D'une main tremblante, les jambes chancelantes, Lou prend l'enveloppe. Sur celle-ci, quatre mots tracés d'une écriture tremblotante, *Alice, ma petite louvve.*

Elle reconnaît tout de suite les fautes d'orthographe de sa mère. Même en copiant le nom des articles dans les circulaires, pour faire sa liste d'épicerie, sa mère ne parvenait pas à écrire les mots correctement.

Septembre 1988

Ma belle Alice, ma petite louvve,

Nous sommes le 6 septembre. Mets qu'importent les dates. Et que penser des minutes et des secondes qui ne ce prècent jamais d'avancer dans ce long parcours de vie. Tu as été mon seul et unique bonheur. Te voilà maintenant à faire ta vi. Comptable agréée, je suis telment fiaire de toi.

La lettre se replie, comme si Lou était allée au bout de sa lecture. Les larmes n'en finissent plus de couler. Mais ce soir, elle est déterminée et veut tout déterrer ; sa vie, celle de sa mère, celle de son père. Elle ne veut plus de souffrances et cherche plutôt l'espoir. Cette lettre, pourrait la lui redonner.

Moi, je n'é jamais rien fai de biens. Je t'endends me répéter d'arrêter de jouer à la victim. Mais ma pauvre fille je ne joue pas, je le suis. Poing. Toute petite je ne me souviens pas des bras de ma mère encore moin ceux de mon père. Ses bras, il s'en servait pour nous frapper, mes frères et moi. Eux sont partis vite, cherchant du travail à l'extérieur, mais moi...

— Ben oui, maman. Je le sais que tu as eu une enfance pas très heureuse, que tu t'es occupée de ton père et de ta mère. Combien de fois, m'as-tu répété ce refrain ? Tiens, je bois une gorgée à ta santé maladive et à ton enfance tout aussi mal foutue. On est deux à s'apitoyer ce soir. Mais je crois qu'il est trop tard pour toi.

Son ton ironique la fait sourire. Elle n'aurait pas pensé que la lecture de cette lettre aurait été si facile. Rien d'étonnant, sa mère, de son vivant, s'est toujours plainte. Elle disait toujours qu'elle avait et aurait toujours besoin de sa petite Louve, toujours...

Pis je ne te racontrai pas ma nuit de noces, moi qui croyè ètre sorti du cercle infernal.

Pis un jour je suis tomber en cinte, tard, trop tard, trente-cinq an. Neuf mois angoisser, engrosser un soir de brosse mutuelle, ton père et moi. Dieu que j'ai pu haïr ton père.

— Ça, maman, je l'ai toujours su. Pourquoi tu n'es pas tout simplement partie, le crisser là, comme j'ai fait, moi, avec Dave ? Pas si compliqué, tu sais.

Alicetuestarriverparunebellenuitd'hiver, le 13 décembre 1960. Ton petit gémicement me faisait panser à une louve, je sais pas pourquoi, je n'en avais pourtemps jamais entendu. D'ou le surnom de Louve que tu as transformé en Lou.

Et puis les coups ont recommencer. Mais tu étais mon bôme. Puis plus tard, ton père a commencé, lors de ses sorties de boisson à aller te visité dans ta chambre. Dans ces moments-là j'ouvrè ta porte de chambre et nu je lui disè, mon corps te veu. C'était ma fasson de te protéger. Une fois je suis arrivé juste à temps. Tu lui répétès que sa barbe piquè ton nombril. Il y avèt beaucoup de frailleur dans tes yeu. Ton père avait la bizzoune sorti.

Le souffle de Lou s'accélère. La bouteille se vide d'elle-même sur le lit. Obligée de tenir la lettre à deux mains, tellement les tremblements sont violents, Lou, plongée dans la torpeur, découvre enfin le sens de son perpétuel cauchemar : deux petites souris blanches poursuivies par un aigle au bec acéré.

Elle ferme les yeux, se lève. Le froid de la pièce fait contraste avec la chaleur de son corps. Ses jambes sont engourdies. Son père qui se branlait devant sa propre fille ? Avait-il voulu véritablement la violer ? Quel âge avait-elle ? Ses souvenirs se font plutôt rares. Quoique l'haleine de son père... lui réchauffait souvent le cou. De ça elle se souvient. Son haleine puante. Son haleine piquante...

D'un bond, Lou se retrouve au milieu de la pièce, la tête dans les airs, pour mieux faire comprendre que ce qu'elle a à dire à sa mère est important. Elle monte le ton.

— Maman, tu mens. Tu t'es toujours menti. Tu aurais dû te faire soigner. D'ailleurs, c'est ce qu'elles font les victimes telles que toi, elles vivent dans leur tête et se créent sans cesse des scénarios. Tu devais être jalouse parce que papa m'embrassait souvent sur la bouche en revenant du travail... JALOUSE, J'AVAIS UNE MÈRE JALOUSE. TU ME FAIS PITIÉ.

Lou va et vient, tremblante, trempée de sueur. Ses jambes ne peuvent plus la supporter. Recroquevillée dans le coin de sa chambre, tenant la lettre serrée entre ses doigts crispés, elle s'impose la lecture.

Pis ton pèr a suvi une térapi. Ça pas duré longtemps.

Un soir de broce, il avè parlé a son chum de tavernne de ton corp. Je le sé parce son chum étè venu le reconduir et m'en avè parlé, jé faitte comme si je ne savè rien, passe que j'avè honte.

Ton père n'allè plus dans ta chambre depuis lon temps. J'étè contante tu peu me croire. Ton père se défoulè souven sur moé mais au moin il ne te touchè plu.

Pi là Françoise est venu resté à la maison.

Pis un soir... C'est dans la chambre de Françoise qu'il es allé. Il a fait ce qu'il avait à faire. Je pleurais dans mon lit, il m'avait attaché les mains à la taite du lit et mis une guinille sur la bouche. Il était bander comme un cheval, le salot, juste à l'idé de fourer une jeune fille.

Françoise n'a pas crié, mais elle devè entendre mes pleurs. Lorsqu'il est revenu dans la chambre, il avè le sourire au lèvre, disant qu'il n'y avè aucun péché, puisqu'il ne s'agissè pas de sa fille.

Deux des trois feuilles du papier à lettres, jaunies, tombent sur le tapis. Des taches de vomissure en couvrent une partie. Étendue sur le tapis, Lou se met à crier.

— FRANÇOISE, MA BELLE FRANÇOISE ! LE SALAUD, L'ÉCŒURANT...

Une rage convulsive l'étreint et lui donne la force de se relever.

— Mon crisse de fou, tu vas voir ce que tu vas voir.

Elle revoit le visage de son père, lors de sa dernière visite. Il l'implorait de ne pas le laisser seul, une grande ville comme Montréal lui semblait si anonyme. La culpabilité rongeait Lou, plusieurs heures après l'avoir quitté. Combien de fois s'était-elle demandé si elle devait ou non venir demeurer avec son père ?

— Toi, t'as pas fini.

CHAPITRE 10

Le combat commence

Le taxi s'arrête devant le 1423 rue Ménard, là où loge un vieux père désabusé. Lou frappe si fort à sa porte, que les voisins adjacents à l'appartement de son père ont allumé leurs lumières.

— Alice, ma petite Louve.

— TIENS ! VIEUX CRISSE !

Son père plie les genoux sous l'impact du coup de poing.

— Mon ostie d'écœurant, t'avais pas le droit de toucher à Françoise.

Son père reste bouche bée.

— Tu n'avais pas le droit. C'était mon amie. Elle était chez nous, chez elle. Combien de fois as-tu répété que tu avais deux filles. Tu as même essayé de me...

— Non, non !

— Vieux salaud, t'es trop lâche pour l'avouer. J'ai lu la lettre que maman a écrite avant de mourir.

— Ta mère, c'tune maudite folle.

— Pis toi ?

— J'me suis faite soigner ! Aide-moé à m'relever...

Elle l'agrippe, le pousse vers son vieux fauteuil.

— Tu es l'aigle de mes cauchemars. Tu es ce salaud d'aigle qui bavait devant les deux petites souris blanches. Tu as bouffé Françoise.

— Est même pas fâchée. J'lai rencontrée pis a m'a dit bonjour.

Un autre coup de poing est parti. Son père passe sa main sur sa lèvre ensanglantée. Ce qu'il voit dans les yeux de sa fille le fait reculer.

— Tu as attaché maman, pour ensuite aller violer ma meilleure amie. Comment fais-tu pour ne pas vomir à toutes les fois que tu vois ton vieux visage de salaud dans un miroir ?

— Er'gar-moé pas comme ça, chu encore ton père.

— Tu es une ordure. Ouvre grandes tes oreilles et écoute ce que maman a dit. Et moi qui croyais qu'elle se plaignait pour rien.

Prenant la dernière feuille de la lettre, mise d'instinct dans sa poche avant de partir, tremblante, elle se remet à lire.

Voilà ce qui me déchire temps. Le geste que j'vais posé, j'le fai par manque de forces. J'en peu pus d'ton père pi d'la vie.

Ma belle Alice au pays des horreurs. À ma Louve qui a les dent solide.

Je t'aime comme jamè dans ma vie je n'ai aimé quelqu'un. Tu as été le seul bonheur de ma chienne de vie. Maintenant que je sé qu'un gars peu te protégé j'peu men allé, j'en peu pu...

Ta mère Solange.

— ARRÊTE DE BRAILLER DE MÊME. Ta mère ça toujours été une faible. Me laisser, tout seul avec une fille.

— J'AVAIS VINGT-HUIT ANS.

— Arrête de crier. Ta mère t'a toujours plus aimée. Qu'é cé qu'tu veux qu'je dise ?

— C'EST TOI LE LÂCHE, L'HYPOCRITE, LA PLAIE QUI A DÉTRUIT PLUSIEURS VIES. C'EST À CAUSE DE TOI SI J'AI TOUJOURS FROID, À CAUSE DE TOI SI JE DORS MAL LA NUIT.

La voix brisée, Lou est incapable de continuer à crier et s'effondre, en pleurs.

— J'ai toujours cru que maman s'était enlevée la vie parce qu'elle ne m'aimait pas.

— T'aurais dû lire sa lettre avant. Arrête de chialer. T'é vraiment le vra portrait de ta mère.

Le défiant du regard, elle se retrouve à deux pouces du nez de son père.

— En plus, vieux fou, tu sens la boisson à plein nez.

— Non, non ma fille. J'ai pas pris une goutte d'la soirée. C'est ton haleine qui pue, pas la mienne. Fa donc pas d'leçon. Tu boé autant que moé, c'est une sorte d'héritage.

Estomaquée, elle recule. Elle veut le blesser, elle voudrait être capable de le tuer. Elle prend une bouteille de bière vide qui traîne parmi d'autres corps morts et entamés. Le bruit sec du verre brisé fait réagir son père. Ses yeux s'agrandissent et sont pétrifiés.

Alice se sent tout à coup très calme. Cette sensation l'envahit.

— Je te déteste, j'aimerais tellement t'enfoncer ce tesson…

Il se redresse, par peur ou par bravade, elle ne le sait pas.

L'entaille est bien réussie. Le liquide rouge et poisseux se dirige jusqu'au bout de sa main gauche. Celle du cœur. Elle est certaine que ce sont ses larmes, si longtemps retenues, qui coulent au bout de ses doigts. Le regard vide, elle sourit à son père. Ce dernier n'essaie même pas de la retenir. Il entend la tête de sa fille cogner sur le plancher.

Les curieux sont rassemblés près des deux ambulances stationnées à l'endroit même où le taxi, il y a quelque quarante minutes, a déposé Lou.

— Plein gaz, elle a déjà perdu beaucoup de sang.

Le conducteur de l'ambulance, sans plus attendre, fait hurler la sirène.

CHAPITRE 11

Pas de réponse

En entrant, Benoît voit la lumière du répondeur clignoter. Au même moment, Françoise sort de la salle de bains. Benoît, les traits tirés, l'embrasse.

— Dure soirée, mon chéri ?

— Des réunions comme celle de ce soir ne mènent à rien. J'ai l'impression d'avoir perdu mon temps.

— Même chose pour moi.

— Il y a un message sur l'afficheur, c'est le numéro de Lou, tu veux l'écouter ? Je vais prendre ma douche, je suis crevé.

— Je la rappellerai demain. Je suis vraiment exténuée moi aussi.

Elle n'entend pas Benoît entrer dans leur chambre. Épuisée, elle s'est endormie immédiatement.

CHAPITRE 12

Vivre à en mourir

— Madame Breton.

— Son pouls s'accélère. Elle revient à elle. Oxygène. Respirez madame Breton. Respirez doucement, doucement.

Lou a l'impression qu'à l'intérieur de son corps, une immense brûlure prend toute la place.

— Ouvrez les yeux, madame Breton.

— Le soleil est trop fort. Où suis-je ? C'est toi, Françoise ?

— Vous êtes à l'hôpital. Je suis Claire Blanchette, infirmière.

— Laissez-moi dormir s'il vous plaît. Je ne veux plus vivre, je veux aller rejoindre maman, je vous en prie. Laissez-moi retourner auprès d'elle.

Elle sent un mouvement sur son lit. Des mains froides prennent les siennes.

— Bonjour madame Breton, je suis le docteur Laurie Dussault. Ouvrez les yeux.

Cette voix forte et féminine la fait obéir. Les yeux bleus de cette femme, penchée sur elle, lui procurent un bref soulagement. Ces mains de docteur essuient les larmes et la morve d'une rescapée de la mort, de sa tentative, de sa déchéance.

— Pourquoi tant de souffrance ?

— Vous croyez en Dieu ?

— Je ne crois plus en rien. Dieu, je m'en sers pour blasphémer.

— Nous vous garderons avec nous, vous êtes ici en sécurité. Avez-vous de la famille ?

— Je n'ai plus de famille. Je n'ai plus personne. Ma mère est morte. Mon père m'a dit que j'étais le portrait tout craché de ma mère. Mon père, j'aurais aimé pouvoir le tuer.

Docteur Dussault n'en est pas à sa première victime de ce grand mal de l'âme. Elle constate que, même à notre ère de vitesse, d'étourdissement, de concurrence, de perfection, de performance, de contrôle et de bonheur éphémère, trop de gens souffrent. Trop de gens n'ont pas la force de lutter contre ce monstre, ce mal intérieur, invisible, mais si présent, si prenant au plus profond des entrailles. Une morsure, une brûlure, des poings sur la gueule feraient moins mal que cette blessure si microscopique, si invisible pour le regard des autres. Docteur Dussault sait pertinemment que c'est là où la blessure saigne le plus : l'endroit de l'impalpabilité du mal, de la souffrance, de ce vide si personnel, si profond, si peu volatile.

Claire Blanchette et Laurie Dussault, habituées depuis tant d'années à travailler ensemble, se regardent.

— Docteur, nous avons tenté de contacter certaines personnes, sans grand succès.

— Françoise ! Appelez Françoise.

Elle murmure le numéro à composer et l'infirmière le prend en note.

— Quel est le nom de famille de votre amie Françoise ?

— Dupré. Est-ce que je peux dormir maintenant ?

D'un geste tendre, l'infirmière dépose une autre couverture sur le corps recroquevillé de Lou.

— Claire, faites-la transférer dans une chambre. Je retourne au bureau. S'il y a quoi que ce soit qui se dégrade chez cette femme n'hésitez pas à en parler au docteur Masson, c'est lui qui sera de garde. S'il est trop occupé, appelez-moi.

— Vous semblez fatiguée, docteur. Il est tard.

— Je sais.

— Docteur, vous êtes au courant pour son père ?

— Oui, on vient de m'informer qu'il est aux soins intensifs.

Cette psychiatre mince et menue sait reconnaître, et ce, dès les premiers instants, les écorchés vifs. Alice Breton est un spécimen authentique.

À minuit, Laurie Dussault se dirige chez elle, épuisée.

CHAPITRE 13

Un mal si puissant

Assise devant sa table de travail en pin, Laurie Dussault fait pivoter sa chaise et tourne son visage vers le soleil matinal. Cette pièce, éclairée par une très grande fenêtre panoramique, lui donne une vue magnifique sur le parc. La chaleur et l'espace de son bureau avaient été des choix importants lorsqu'était venu le temps de trouver un endroit pour pratiquer sa médecine. Sa spécialité, elle l'avait choisie lors de sa résidence en médecine ; sa meilleure amie s'était suicidée et elle s'était bien promis d'aider les plus démunis de l'âme à retrouver le goût de vivre. Cette amie d'enfance, celle qui l'avait suivie partout dans ses voyages comme dans ses études, et celle pour qui elle aurait tout donné, s'était enlevé la vie à la fin d'un trimestre que toutes les deux avaient trouvé particulièrement difficile. Jamais elle n'avait vu le désespoir dans les yeux de son amie, trop affairée qu'elle avait été, à obtenir les meilleurs résultats. Et depuis tout ce temps, elle se donne toute entière à vouloir insuffler une lueur d'espoir et de douceur dans ces âmes meurtries.

Françoise Dupré avait été, elle aussi, une âme et un cœur blessés par la vie. Elle sait d'avance, de prime abord, que Françoise flanchera. Elle connaît cette femme. Une femme écorchée vive, qu'elle a dû, il y a dix ans, aider à remettre sur pieds. Néanmoins, elle lui connaît aussi une force incroyable. Cette femme est une battante, se répète-t-elle en composant le numéro de Françoise.

— Madame Dupré ?

— Oui, qui parle ?

— Je suis Laurie Dussault.

Françoise est sans voix. Cette femme la ramène à une partie de vie qu'elle aimerait mieux oublier. Elle pressent quelque chose.

— Docteur Dussault, que puis-je faire pour vous ?

— C'est au sujet de votre amie, Alice. C'est elle qui m'a demandé de vous appeler.

— Je tente justement de la rejoindre.

— Madame, votre amie est hospitalisée. Elle a fait une tentative de suicide.

— Quoi ? J'y vais immédiatement. Va-t-elle sortir ?

— Elle vient de reprendre conscience. Elle est maintenant hors de danger, physiquement si vous voyez ce que je veux dire. Mais il y a autre chose. Son père est aux soins intensifs. Il a fait un arrêt cardiaque après avoir contacté le 911. Ce sont les ambulanciers qui les ont retrouvés tous les deux. Son père s'est fracassé le nez en tombant. Madame Breton n'est pas au courant pour son père.

— Je veux aller voir Alice.

Comme prévu, Laurie sent la femme défaillir.

— Écoutez madame Dupré, si vous en ressentez le besoin, et qu'importe l'heure à laquelle vous sortirez de l'hôpital, vous pourrez passer à mon bureau.

En raccrochant, Françoise doit se tenir pour ne pas tomber. Benoît la retient. Sous le regard interrogateur de son mari et sous le choc, elle tente d'expliquer la situation.

— Je dois absolument aller voir Lou. Elle est à l'hôpital. Benoît, voudrais-tu m'appeler un taxi ?

— Tu ne veux pas que je t'accompagne ?

— J'aimerais mieux y aller seule.

Françoise se sent tout à coup angoissée. Pourquoi un tel geste ? Elle inspire profondément, à plusieurs reprises. Elle reste sans voix lorsqu'elle écoute le message que Lou lui a laissé, hier soir.

***

Malgré la sueur qui lui coule dans le dos, Françoise est incapable de réprimer un frisson à la vue de Lou.

Les yeux fermés, la bouche crispée, les bras croisés sur sa poitrine, Françoise sait, à la seule vue de ce visage, que Lou ne dort pas. D'avoir les yeux fermés, empêche Alice de voir la réalité de sa vie. Qui de mieux que Françoise pour comprendre toute la souffrance de Lou ? Elle-même s'était emmurée dans un mutisme total et avait tenu les yeux fermés plus de quatre jours consécutifs, il y a de cela dix ans, au même hôpital.

Au sanglot échappé par Françoise, Lou tressaille et réussit à décrisper ses mains, pour qu'enfin se fasse le contact avec sa grande amie.

— Je m'excuse ma belle Lou. Les deux femmes se blottissent l'une contre l'autre.

Elles passent une heure à se regarder et à pleurer. Juste un silence rempli de mille émotions inexprimables. Épuisée, Lou ouvre la bouche.

— J'aimerais dormir. Vas-tu revenir ?

— Demain, ma belle, je passerai la journée avec toi. Promis.

Ses lèvres effleurent les joues mouillées de Lou.

— Je t'aime, dit Françoise.

— Moi aussi je t'aime, maman.

***

Françoise se dirige vers le bureau de Laurie Dussault. Elle ressent le besoin de confirmer des choses. C'est à une Françoise secouée de sanglots que Laurie ouvre sa porte.

— Assoyez-vous.

Le silence de la pièce est entrecoupé de pleurs que Françoise a du mal à contenir.

Son regard vide se fixe sur Laurie.

— Merci. Je crois que je ne tiendrai pas le coup. Lou m'a appelée maman.

— Écoutez, votre amie est très perturbée, c'est évident...

— Je vous dérange. Je suis désolée. J'avais besoin de connaître les faits, de savoir.

— Vous ne me dérangez pas. Écoutez madame Dupré, votre amie a fait mention d'une lettre. Je n'ai pas tous les documents en ma possession.

— Sa mère s'est suicidée, il y a douze ans. Son chum l'a flanquée là, il y a un mois, la journée de son quarantième anniversaire. J'aurais dû être plus vigilante.

Françoise doit prendre plusieurs respirations profondes.

— Laurie, je peux, comme il y dix ans, vous appelez Laurie ?

— Oui, Françoise.

Françoise avale ses larmes et se sent de plus en plus mal à l'aise. Elle se remémore à nouveau le message laissé sur son répondeur : « *Françoise, ma belle Françoise. Le salaud, l'écœurant* ».

— Elle m'a téléphoné juste avant qu'elle tente… j'en suis certaine. Le message laissé sur le répondeur en était un de panique. Lou avait besoin d'aide et j'étais absente. La voix de Lou criait son désarroi et son désespoir. J'étais convaincue qu'il s'agissait, une fois de plus, de Dave. Si j'avais été là, j'aurais pu éviter qu'un tel drame arrive.

— S'il vous plaît, ne vous blâmez pas pour un geste sur lequel vous n'avez aucun contrôle.

— J'aurais dû prévoir sa réaction. Elle avait déjà très mal réagi lorsque Dave l'a quittée.

Vous savez si elle a déjà consulté un ou une psychologue ?

— Elle me disait toujours qu'elle était plus forte que ceux qui consultent. Que sa vie, c'est elle qui l'a bâtie. J'aurais dû...

— Mais vous ne pouviez pas la suivre à la trace.

Françoise sent la boule d'angoisse prendre une grande place dans sa gorge. Elle veut sortir du bureau qui lui rappelle trop cette partie de vie qui l'a tant fait souffrir.

— Merci Laurie, je vais partir, votre salle d'attente doit être bondée.

— Votre amie, a-t-elle des enfants ?

— Oui, une fille. Elle est partie chez sa tante passer quelques jours. Je devais aller la chercher en fin de journée. Je ne sais pas.

— Et ce Dave, vous pouvez le rejoindre ?

— Oui évidemment, Dave. Il sera ébranlé. Merci docteur Dussault.

Sur ce, Laurie se lève.

— N'hésitez pas à me contacter si vous en ressentez le besoin. Ne prenez pas ce geste sur vos épaules. Gardez vos forces, je crois que vous serez plus utile ainsi.

— Merci beaucoup. Ce qui me rassure, c'est que je sais que Laurie est entre bonnes mains. Vous savez, l'histoire de mon viol, et bien c'est le père d'Alice…

Laurie ouvre ses bras et Françoise se laisse accueillir, comme lors de leur dernière rencontre, il y a dix ans.

Derrière elle, Françoise entend la porte se refermer.

Laurie Dussault retourne à son bureau, se prend la tête entre les mains. Plus le temps passe et plus elle constate que la vie amoche de plus en plus de monde. De grandes peines, de grandes ruptures, de grands deuils à l'époque où les gens ne se permettent plus de vivre leurs peines, la roue tournant trop vite, rendant ainsi toutes les émotions très difficiles à affronter. Dans chaque jardin secret individuel, se camoufle toujours une blessure. Pour les uns, ce n'est qu'une éraflure, pour d'autres, une entaille profonde.

CHAPITRE 14

Que de souvenirs

Assise seule à un petit bistrot, Françoise, qui n'avait nullement l'intention de retourner à la maison, boit sa troisième coupe de vin blanc. Elle sort de son sac ses crayons et son petit cahier à dessins qu'elle transporte toujours avec elle.

Sur le papier apparaissent des traits forts et puissants. Des larmes viennent se déposer sur l'orage traduit en croquis. Ces gouttes décolorées éclaircissent une toute autre partie du dessin, là, en haut, à gauche. Un petit trait de couleur jaune est tracé sur tout le contour de cette tache.

Elle se lève, appelle un taxi.

Sur le chemin du retour, elle réfléchit une fois de plus à son propre parcours.

Ses parents mal mariés et frustrés ne l'avaient pas retenue et avaient donné leur consentement afin que Françoise puisse aller demeurer chez les parents de Lou. Sa sœur, Brigitte, de quatre ans son aînée, avait été contente de ne plus devoir partager sa chambre avec « la petite », ce sobriquet qu'on avait donné à Françoise à l'époque. Françoise les avait quittés un beau matin de juin, avec en main une valise et tous les désirs de liberté qu'une fille de quinze ans peut porter en elle.

L'adolescence de Françoise n'avait pas été facile. Pour s'empêcher de souffrir et pour oublier les centaines de disputes familiales, elle s'était mise à porter un masque d'assurance ; Françoise, la fille à l'abri des épreuves.

Chez les parents de Lou, Françoise s'était tout de suite sentie accueillie. Elle s'était aperçue que même les parents de Lou n'étaient pas toujours sur la même longueur d'onde, mais cela ne la concernait pas directement, elle n'en faisait pas de cas.

Contrairement à la compagnie que sa sœur Brigitte pouvait lui offrir, Françoise ne se lassait pas d'être en présence de Lou. Elle se trouvait beaucoup plus d'affinités avec son amie. Elle aimait, plus que tout, la compagnie de Lou et jamais elle n'aurait laissé entrevoir une peine quelconque qui aurait pu l'éloigner de sa grande amie de cœur. Jamais, une personne n'avait été aussi proche d'elle, sœur, mère et père compris.

Le temps a filé. Les rencontres avec sa vraie famille se sont estompées. Les études, les sorties et les nombreuses activités avaient rempli une partie de son adolescence.

Cette partie de vie, si importante, fut brisée lorsqu'elle fut violée par le père de Lou. Apeurée, elle n'avait pas su à qui en parler. Sa mère, toujours déprimée, n'avait pas compris un mot de ce qu'elle disait. Son père, quant à lui, était trop préoccupé par son super emploi de directeur des ventes. Sa sœur n'avait pas de temps à lui consacrer. Pour ce qui est de son chum de l'époque, pour lui, ses études et son petit moi prenaient trop de place. Elle avait décidé de garder cette grande souffrance pour elle.

Puis elle a rencontré un homme merveilleux. Un gars aux yeux lumineux. Tout de suite, entre Benoît et elle, ce fut le coup de foudre. Lui, avait vingt et un ans ; elle, dix-huit. À ses vingt ans, ils se sont promis fidélité. Les parents de Françoise étaient présents à la cérémonie ainsi que Brigitte, avec ses jumeaux et sa petite dernière. Françoise avait tenté des rapprochements, mais avait vite senti un énorme fossé entre elle et les gens de sa famille.

Malgré tout l'amour qu'elle avait pour Benoît, elle fut incapable de lui parler de ce viol. Elle avait éprouvé un fort besoin de se cramponner, une fois de plus, à ses racines. Ainsi, avec l'espoir d'aller puiser un peu de réconfort, elle allait visiter ses parents lors de ses déprimes. Son père lui rétorquait qu'avec son emploi, son mari et l'argent qu'ils faisaient, elle n'avait aucune raison de déprimer. Sa mère tenait un discours semblable, alléguant qu'elle s'était sacrifiée pour ses deux filles et que maintenant, elle ne pouvait plus rien donner.

Brigitte, directrice d'une petite entreprise d'imprimerie appartenant à son mari, n'arrêtait pas de lui dire qu'entre son travail à temps plein, le soin qu'elle devait prodiguer à ses enfants et son mari de plus en plus absent, le temps lui manquait incroyablement. Françoise s'était alors emportée et lui avait dit de ne plus jamais la rappeler pour servir de gardienne. Brigitte lui avait rétorqué qu'au lieu de se laisser aller à ses pleurnicheries, elle n'avait qu'à se donner des coups de pied au cul.

Ce que Brigitte semblait ne pas comprendre, c'est que Françoise n'avait pas la force de se lever la jambe pour se les administrer.

Ce fut Benoît qui, il y a dix ans, et ce après une sévère dispute, lui avait fortement suggéré d'aller consulter. Il ne savait plus ni quoi dire, ni quoi faire pour retrouver la femme de ses premières rencontres. Cette Françoise, aujourd'hui avocate, avait du mal à remplir un grand vide. Son lourd secret refaisait surface de plus en plus.

Elle sentait le poids de son malheur s'infiltrer par tous les pores de sa peau. À ce jour, elle ne s'était pas décidée de parler à Benoît du viol subi. La honte, l'incompréhension et surtout la peur de perdre l'homme de sa vie, avaient scellé son secret.

Peu de temps après cette dispute, Françoise fit sa tentative de suicide. Elle avait été prise d'un moment d'angoisse épouvantable. Elle fit un geste contre lequel elle s'était battue pendant plusieurs années. Elle croyait que Benoît voulait l'abandonner. D'urgence, elle l'avait appelé au travail, lui demandant de venir vite à la maison. Il la trouva, bouteille vide à la main avec, à ses côtés, son flacon de médicaments tout aussi vide.

Benoît avait ressenti énormément de culpabilité. Malgré le fait qu'il n'ait pas compris le geste, tous les jours, il alla voir sa femme à l'hôpital. À chaque visite, elle le suppliait de ne pas l'abandonner. Tous les deux s'excusaient mille fois plutôt qu'une. En aucun temps Benoît ne l'avait questionnée, ni même jugée.

Laurie Dussault l'avait accompagnée lorsqu'elle était à l'hôpital et l'avait fortement incitée à faire de la peinture et du dessin, ce qui a donné l'occasion à Françoise de croire à une certaine beauté de la vie. Cette façon d'exprimer ses peurs et ses angoisses lui fut d'un grand soutien. Elle n'avait jamais pris le temps de se découvrir une passion et la peinture avait pris beaucoup de place. Il avait été ainsi moins difficile pour Françoise de comprendre certaines choses grâce à ce que lui évoquaient ses traits de pinceaux.

Un jour, particulièrement propice à la bonne humeur, elle avait décidé de mettre un terme à ses rencontres thérapeutiques, persuadée que dorénavant elle pourrait tout affronter, seule.

Un soir de novembre, durant une crise particulièrement aiguë, sentant qu'elle retombait et que le vide l'aspirait, le même vide qui avait nourri sa tentative de suicide, elle avait téléphoné au bureau de son psy. « Je suis prête à me battre contre mes démons, aidez-moi s'il vous plaît », avait été son appel au secours. Longuement, le docteur l'avait fait respirer et lui avait fait promettre de tenir le coup jusqu'au lendemain.

Françoise avait fait annuler tous ses rendez-vous et s'était rendue au bureau de la psy. L'histoire se racontait difficilement. Françoise avait la gorge qui lui faisait mal.

— Je ne suis pas capable, ça fait trop mal, avaient été ses premières paroles d'ouverture.

— J'ai tout mon temps, Françoise. Vous êtes la dernière patiente de la journée.

— J'ai été victime de viol. Je demeurais chez mon amie, ma très grande amie, Alice. Et voilà.

Françoise avait haleté sa phrase plutôt que de la dire. Cette confession lui avait arraché une partie de sa fierté qu'elle avait délibérément enfouie sous un masque.

— Vous en avez parlé à votre très grande amie ?

— Non.

— Vous avez déjà parlé de votre viol ?

— J'ai déjà tenté de le faire avec mes parents, ma sœur. Ils n'ont rien compris à mes messages. Je n'en ai jamais parlé à Benoît. Pourriez-vous m'apporter un verre d'eau, s'il vous plaît ?

Laurie Dussault s'était exécutée.

— Merci. J'ai l'impression que l'intérieur de mon corps est en train de sécher.

Par la suite, et ce durant trois années consécutives, Françoise n'avait manqué aucun rendez-vous avec Laurie Dussault. C'est grâce à elle si maintenant la peinture, qu'elle avait prise au tout début pour un simple désennui, était devenue une passion. Dans ses moments de joie ou de tristesse, ses couleurs souvent tristes, ses paysages gris et ses cieux orageux, sont devenus un merveilleux moyen d'expression.

La colère s'est souvent fait sentir au bout de son pinceau. Il lui est même arrivé, et ce plus d'une fois, de déchirer une toile qui, une fois terminée, semblait représenter son viol. Pourtant, elle aurait pu jurer ne pas avoir pensé du tout à cette scène en la peignant.

— Vous êtes arrivée, madame. Elle paie le chauffeur de taxi.

Françoise entre chez elle. Elle s'y sent seule. Elle débouche une bouteille de vin et s'assoit dans la noirceur.

Le bruit d'une portière la ramène à la réalité et la sort de ses pensées et de ses souvenirs. En s'approchant de la fenêtre, elle aperçoit Benoît.

— Pourquoi ai-je toujours été incapable de lui en parler ?

En ouvrant la porte, il voit le verre de vin et la bouteille entamée.

— Ça va, ma chérie ?

— Non, je ne vais pas bien. Lou non plus, d'ailleurs.

Il se dirige vers Françoise.

— Est-ce à cause de Dave ?

— Tu l'as vu ?

— Non.

— Ce salaud l'a laissée là le soir de son anniversaire…

— Françoise, tu n'as pas à le juger. Il a trouvé plus prudent de la laisser, parce qu'il savait qu'ils étaient en train de se blesser mutuellement. Il avait beaucoup de peine et l'avait avertie plusieurs fois de ne plus boire. Je ne crois pas que l'on puisse lui faire son procès.

— Je sais, mais même si c'est ton meilleur ami, il n'en reste pas moins que ce départ a causé beaucoup de peine à Lou. Je suis exténuée.

Benoît la sent à bout de nerfs. Elle arpente la pièce, prend un bibelot, le déplace. Cherche un disque, ne le trouve pas.

J'ai appelé Élizabeth pour la prévenir. Je n'avais pas le courage de l'annoncer à Justine. Elle préviendra également Dave. Que veux-tu pour souper ? Moi je n'ai pas faim.

— Françoise, arrête de t'étourdir. Tu m'inquiètes.

— Arrête de me surprotéger. J'ai besoin d'être seule…

Avant d'aller prendre une douche et de se coucher, elle téléphone à l'hôpital. De savoir que Lou dort profondément et que tous ses signes vitaux sont normaux, la réconforte.

Benoît vient la rejoindre.

— Benoît, j'ai peur pour elle. Tu sais sous ses grands airs de solidité, elle est si fragile.

Il la prend, l'embrasse sur le front avant de sortir.

— Je m'excuse pour tantôt. J'ai l'impression que tu me prends pour une jeune fille qui ne sait pas se sortir…

— Françoise, je t'avoue qu'il y a des jours où…

— Benoît, je n'ai pas envie de discuter. Je tenterai de faire plus attention. Je suis fatiguée, ça ira mieux demain.

CHAPITRE 15

La roue ne tourne pas rond

S'apercevant qu'il est trop tôt pour se rendre à l'hôpital, Françoise entre dans la boulangerie du quartier. Le café est fort et brûlant, le croissant, qu'elle mange du bout des dents tellement elle sent son estomac noué, est tout de même délicieux. Elle se remémore la veille au soir et réfléchit sur la façon dont elle réagit face à Benoît et constate qu'elle se sent à l'étroit. Elle ferme les yeux et tente de ne pas mêler toutes les émotions.

Elle relève la tête et aperçoit Laurie Dussault debout près d'une petite table et prête à partir. Cette dernière se dirige vers Françoise. Les deux femmes, d'un commun accord, décident de marcher ensemble jusqu'à l'hôpital.

— Françoise, j'ai lu une chronique sur vous dans le journal. Cet article mentionnait le fait que vous défendiez des causes d'abus de toutes sortes faits aux femmes et qu'également vous faites du bénévolat dans des maisons d'hébergement pour femmes.

— Je crois certainement que mon vécu peut en aider d'autres. Vous savez, il ne se passe pas une semaine sans que des femmes ou même des jeunes filles ne se fassent harceler ou vivent des situations de violence. Ce fut plus fort que moi, je devais venir en aide à ces femmes. Je dois bien ça à la vie.

— En lisant votre article, j'ai tout de suite reconnu la force de vie dont vous avez fait preuve et c'est tout à votre honneur.

— Merci, Laurie. Vous savez, vous êtes une des femmes les plus humaines que je connaisse.

— Et pourtant, il y en a plusieurs, je peux vous l'assurer. Vous en faites également partie.

— Je ressens beaucoup de compassion pour ces femmes. Cependant, devant Lou, je me sens complètement dépourvue. Je ferais tout pour ne pas avoir à l'affronter.

— C'est toujours plus facile d'aider des personnes étrangères à notre vécu, que celles très proches de nous. Les émotions ne se jouent pas de la même façon, c'est beaucoup plus profond comme ressenti. Cependant, malgré le fait que ce soit plus difficile pour vous, je crois sincèrement que madame Breton aura besoin de votre force.

— Oui, je le ressens aussi.

— Allez, je dois aller à mon bureau avant de me rendre à l'hôpital. Bonne journée, Françoise.

***

Françoise, en sortant de l'ascenseur, ressent un malaise passager. Elle se dirige tranquillement vers la chambre de Lou.

— Bonjour, Lou.

— Françoise, tu es venue ?

— Mais oui, je te l'avais promis hier. Regarde, je t'ai apporté une brioche.

— Veux-tu me faire sortir d'ici, s'il te plaît ?

Lorsque Françoise perce le regard de Lou, elle y décèle une vive douleur. Elle en a la gorge nouée.

— Je ne peux pas ma belle cocotte. Tu n'es pas seule, je suis avec toi. Benoît t'embrasse. Il viendra faire un saut, mais juste si tu en as envie. J'ai appelé à ton bureau, afin d'aviser Phil de ton absence temporaire. Justine demeurera chez Élizabeth le temps qu'il faudra.

Françoise sent le besoin de remplir le silence.

— S'il te plaît, Françoise, sors-moi d'ici, je ne recommencerai plus.

Telle une enfant sans défense, Lou se laisse bercer. Les bras de Françoise l'ont toujours réconfortée. Toutes deux sanglotent sans pouvoir s'arrêter. « *Mon Dieu, je vous en supplie, protégez-la. C'est ma petite Louve.* »

Laurie retrouve les deux femmes enlacées et les observe.

— Rappelle-toi ma belle Lou, lorsque moi-même j'étais hospitalisée, je t'avais fait la même demande, tu te souviens ?

Lou s'est endormie. Une fois de plus, elle a appelé Françoise, maman, avant de fermer les yeux. Les larmes coulent sur les joues de Françoise. Elle dépose un baiser sur cette tête de femme qui semble si impuissante devant la vie. En se retournant, Françoise aperçoit Laurie. Cette dernière lui sourit.

— Pour l'instant, votre amie se sent un peu hors de la réalité et pour un petit bout de temps, le monde extérieur lui semblera trop cruel. C'est normal qu'elle mêle ainsi le passé et le présent.

— Docteur, une telle souffrance… malgré le fait que je sois passée par ce chemin, c'est difficile… Les larmes de Françoise coulent. Laurie s'approche d'elle.

— Je comprends très bien. Je ne suis pas inquiète pour vous. Cette femme a une chance inouïe de vous avoir comme amie. Permettez-lui de vivre sa souffrance.

— Maman ?

— Non, Lou. C'est moi, Françoise. Je suis avec le docteur Dussault. Je la connais très bien. Ici, tu es entre bonnes mains.

— Je veux sortir.

Laurie s'approche d'elle et lui pose la main sur le front. À ce contact de douceur, Lou ouvre les yeux. Laurie se penche vers sa patiente.

— Outre le fait de vouloir sortir d'ici, y a-t-il quelque chose que vous aimeriez avoir ? Vous aimeriez voir une personne, votre fille ?

— Non, elle m'a menti.

Laurie regarde Françoise qui hausse les épaules.

— Pourquoi la puce aurait menti ?

— Tu savais, toi, Françoise, que Dave avait une maîtresse ?

— Non.

— Benoît, lui, devait être au courant.

— Je ne crois pas, Lou. En fait, il ne m'en a pas parlé.

— Tu sais quoi ? Je ne crois plus, ni toi, ni Justine. Pour l'instant j'aimerais être seule. Je n'ai besoin de la pitié de personne.

— Mais Lou…

— Françoise, n'insiste pas. Et vous, docteur, arrangez-vous pour que je puisse sortir d'ici le plus rapidement possible.

— Vous savez, madame Breton, par expérience je sais…

— Je n'ai pas besoin de vos conseils, j'ai juste besoin de me retrouver seule dans cette maudite chambre.

En sortant, Laurie se dirige vers le poste des infirmières. Elle fait part à ces dernières que Françoise a l'autorisation de venir voir la patiente à toute heure du jour et de la nuit.

— Elle semble si triste, si démunie, murmure Françoise, adossée sur le mur vert pâle.

— Le temps peut arranger les choses. Vous en êtes la preuve vivante.

— On dirait une roue qui ne tourne pas rond.

— Mais, nous sommes ici pour la remettre sur sa voie. Ne craignez rien.

— FRANÇOISE ?

Le cri vient de la chambre de Lou.

— Je suis ici, ma belle.

— Je veux sortir.

— Bientôt, ma belle. Tu verras, un jour ce passage ne sera plus qu'un mauvais souvenir.

— Je veux dormir. Je veux tout oublier. Françoise ?

— Oui.

— Toi, tu le savais depuis longtemps que mon père est un salaud et tu ne m'en as jamais rien dit.

Françoise ne répond pas. Lou a les yeux fermés.

Elle s'est endormie. L'infirmière entre dans la chambre. Elle voit Françoise pleurer comme une enfant.

— Allez vous reposer, vous semblez si fatiguée. Et ne vous inquiétez pas, si quelque chose arrive, je vous téléphonerai. Son mari a téléphoné et m'a également laissé son numéro.

— Son ex-mari. J'avais promis à Lou de passer la journée avec elle. Je préfère rester un peu. Si vous saviez toute la souffrance…

— Je sais madame Dupré, je sais. Si j'ai un conseil à vous donner, gardez vos forces. Madame Breton se remettra sur pied, mais elle doit le faire à son propre rythme. Le mieux que l'on puisse faire, c'est de lui apporter toute l'écoute dont elle a besoin.

CHAPITRE 16

Une haine à l'état pur

Lou ne sort pas de son mutisme le jour et crie des insanités la nuit. Elle hurle, parle d'aigle, de Dave. Et de Justine. Lorsque le docteur ou l'infirmière tente de s'entretenir avec elle sur certains de ses propos, elle se borne à les fixer, sans jamais leur répondre. Elle les hait, tous.

De plus, tout le personnel soignant a appris que son père est agonisant. Ce dernier ne cesse de demander sa fille. Il veut la voir avant de mourir. Il sait que ses heures sont comptées et il veut absolument parler à sa fille.

C'est une infirmière qui, en apercevant Françoise sortant de l'ascenseur, l'informe de la situation, sans lui cacher que le père de Lou va de plus en plus mal.

Françoise a envie de lui crier qu'il peut bien crever tout seul. Que personne ne le pleurera.

— Étant donné les circonstances, vous pensez que Lou réagira mal en apprenant la nouvelle ?

— Je ne peux vous répondre. Le docteur Dussault en a pour quelques minutes avec un patient, par la suite elle pourra vous renseigner. Vous pouvez aller l'attendre là, dans cette pièce.

Dans cette petite pièce, meublée seulement d'une chaise et d'une table, Françoise se sent seule et a la chair de poule. Elle se rappelle les heures interminables qu'elle y a passées, allongée sur un lit. Elle se sent prisonnière dans cet espace trop minuscule et à l'instant où elle s'apprête à en sortir, le docteur Dussault y entre.

— Bonjour Françoise.

— Bonjour Laurie. Quelle situation. Le père de Lou est hospitalisé et selon l'infirmière son état se détériore. Devrions-nous en parler à Lou ?

— Une fois les faits connus sur l'état de son père, madame Breton pourra décider ce qu'elle veut faire. Mais je suis convaincue que l'on doit lui en parler.

— J'aimerais lui annoncer moi-même.

Françoise sait que ça lui prendra tout son courage pour affronter Lou, mais se sent obligée de la prévenir de l'état de son père.

— Je n'y vois pas d'inconvénient. Ne sachant pas comment elle peut réagir, je demanderai à une infirmière de se tenir près de la chambre.

— Merci.

— Votre amie a décidé de rester muette sur sa vie. Elle ne veut parler ni de sa profession, ni de sa famille, ni même de sa fille.

— Lou ne s'ouvre pas facilement.

— Dites-moi, Françoise. Est-ce que madame Breton prenait régulièrement de l'alcool ?

Françoise n'ose pas répondre. Elle veut aider Lou, mais…

— Oui, Lou pouvait ingurgiter une quantité phénoménale de gin.

— Tous les jours ?

— Oui. Elle a été sobre quelques jours avant…

— Avait-elle des comportements, disons malsains, violents lorsqu'elle consommait ?

— Pas avec moi. Par contre, je sais qu'à certains moments, elle pouvait devenir agressive. Je sais également que Dave, son ex, qui est également un grand ami de mon mari, lui a rapporté combien il devenait difficile de supporter les agressions verbales de Lou. Elle a même déjà frappé Dave au visage.

— Et sa fille ? Elle a déjà levé la main sur elle ?

— Je suis certaine que non. Mais pourquoi toutes ces questions ?

— Je crois important de connaître ces faits, puisque si votre amie consommait régulièrement, elle serait peut-être en sevrage. Elle passe de l'état léthargique à l'agressivité en quelques minutes. De plus, j'ai remarqué une hyperactivité neurovégétative, ce qui veut dire qu'elle transpire beaucoup, sa fréquence cardiaque est supérieure à cent. Tout comme moi, vous avez dû constater le tremblement de ses mains. Elle a fait mention à plusieurs reprises qu'elle avait des nausées et a même vomi la nuit dernière. J'ai demandé que l'on m'avertisse si elle présentait des signes d'hallucinations ou d'illusions optiques, tactiles ou auditives. Elle semble plus agitée à différentes périodes du jour ou de la nuit.

— Est-ce que le fait de m'appeler maman serait relié à un sevrage ?

— C'est ce que nous allons surveiller de plus près. J'aimerais que vous puissiez faire part de vos remarques à l'infirmière, si jamais vous relevez quelque chose de particulier.

— Si ça peut aider Lou, je le ferai. Maintenant, j'aimerais aller la voir.

— Merci Françoise, ces renseignements nous aideront. Une dernière chose. Prenait-elle des médicaments ?

— Des calmants, je crois.

— Vous tenez le coup ?

— Oui, mais avec une certaine fragilité.

Françoise retrouve Lou assise dans un fauteuil. Sans dire que cette dernière a une mine réjouie, Françoise remarque que son teint semble moins malade. Cependant, Françoise craint que la nouvelle de la mort imminente de son père ne la replonge dans son abattement.

— Comment te sens-tu ce matin ?

— Je ne le sais pas.

— Écoute, Lou. J'ai quelque chose d'important à te dire et je tenais à te l'annoncer personnellement.

Françoise hésite, des gouttes de sueur lui coulent sur le front, d'autres, invisibles, lui roulent tout le long de la colonne vertébrale et lui donnent des frissons.

Alice la fixe. Françoise remarque son agitation. Elle devine également une crispation au niveau du visage. Comme si Lou était prête à éclater en mille morceaux.

— Il s'agit de ton père. Il est ici même, aux soins intensifs. Il a fait un infarctus suite à...

Françoise ne peut continuer. Le regard de Lou, vide et sans expression, la fige. Une énorme boule, logée au plexus, lui donne envie de vomir. Elle prend une gorgée d'eau, prend une bonne respiration. Lou, quant à elle, continue de plonger ses yeux dans ceux de Françoise.

— Lou, ce serait important que tu y ailles, il veut te voir.

— Je n'en ai pas envie. Qu'il crève, jamais je ne lui pardonnerai ce qu'il a fait.

— Il n'arrête pas de prononcer ton prénom. Si tu veux, je t'y accompagnerai.

— Jamais je n'accepterai que tu fasses ce sacrifice, il n'en vaut pas la peine. Je suis convaincue que, même sur son lit de mort, il serait capable de bander à nouveau, le salaud.

Elle se lève de son fauteuil, se dirige vers Françoise. Des sanglots plein la voix, elle tourne le dos à Françoise.

— J'ai honte de ce qu'il t'a fait subir. Si tu savais toute la haine que je ressens contre lui. Alors, veux-tu encore m'accompagner? Veux-tu encore me protéger? Maintenant, laisse-moi dormir, Françoise.

Françoise s'approche pour l'embrasser sur la joue, mais Lou met sa main devant les lèvres de son amie.

— Je me demande vraiment comment tu as fait pour continuer à être mon amie, mais surtout à faire comme si rien ne s'était produit.

Françoise, ébranlée, sort de la chambre en frôlant le mur droit du corridor, assurée ainsi de ne pas tomber. Elle bouscule l'infirmière qui tente de la rattraper et s'excuse.

— Vous avez besoin d'aide, madame?

Françoise fait signe que non. L'infirmière pour tenter de la soutenir, la prend par le bras. Françoise ne peut prononcer aucun son, tellement la colère, la rage et le rejet de Lou lui ont transpercé le cœur. Reprenant ses sens et se sentant emprisonnée par la proximité de l'infirmière, elle s'éloigne et se dirige vers l'ascenseur.

Une fois seule, Lou ressent une colère inouïe. Des questions cognent dans sa tête, plus fort que tout ce qu'elle s'est donné comme coups dans sa vie.

- Pourquoi Françoise insiste-t-elle? - Pourquoi veut-elle continuer à me protéger? - Qu'est-ce qu'elle en a à foutre de mon père? - Ne pourrait-elle pas, elle, la parfaite Françoise, lui en vouloir autant que moi? - Même après s'être fait violer, elle a toujours pris ses grands airs et fait comme si madame n'avait rien subi. Pourquoi? - Pourquoi ne pas m'en avoir parlé?

Une envie soudaine de vouloir se déplacer vers cette chambre, où seule la mort conviendrait à ce vieux salaud, tourne de plus en plus dans sa tête.

Elle sonne la cloche pour obtenir de l'aide.

— Je veux aller dans la chambre de mon père.

Malgré le faible timbre de sa voix, le ton est sec et clair. L'infirmière, gardant son ton doux et calme, lui demande si elle veut être accompagnée?

— J'ai de la difficulté à me rendre aux toilettes pour aller pisser. Penses-tu que je vais pouvoir marcher jusqu'à lui? Et puis vos maudites portes toujours cadenassées, vous pensez que je suis capable de les défoncer?

Calmement, l'infirmière lui demande d'attendre le brancardier qui arrivera d'une minute à l'autre.

Ce dernier, sans un sourire, ni la moindre compassion, arrive devant la chambre de son père.

— Vous n'aurez qu'à aviser l'infirmière lorsque vous voudrez revenir à votre chambre.

Sans lui demander si elle est prête à affronter son père agonisant, il lui ouvre grande la porte.

Lou sursaute en voyant l'infirmière au chevet de son père.

— Vous êtes sa fille Alice ?

— Je croyais que je serais seule avec ce vieux salaud. Regardez-le. Il est aussi blanc que les draps. Si vous saviez tout le mal qu'il a pu faire, vous le laisseriez crever sans vous en occuper. Combien de temps lui reste-t-il ?

L'infirmière arrête son geste.

— Qui peut le savoir ? Vous voulez vraiment être seule avec lui ?

Elle fait oui de la tête, incapable de dire un seul mot, hypnotisée par la gueule grande ouverte de cet aigle vorace. Lorsque la porte se referme, son père ouvre les yeux. Tous les deux se regardent.

— Tu peux bien me regarder avec ton petit air de chien battu. Cette fois je ne me laisserai pas atteindre.

— Parle plus fort, j'entends rien.

— Dommage que l'oreiller ne soit pas bourré de plumes, je te les ferais bouffer une à une. Tu représentes bel et bien l'aigle de mes cauchemars.

— Alice, viens près de moi. J'ai une faveur à te demander. J'aimerais revoir Justine pour une dernière fois.

Lou ne bouge pas d'un centimètre et est assez près de lui pour voir couler les larmes sur les joues émaciées de son père.

— Tu peux brailler toutes les larmes de ton corps. Tu m'as rendue insensible. Une famille est supposée vivre en harmonie et s'aimer. Tu m'as fait connaître la haine, à une puissance telle que je n'aurais jamais pu imaginer que ça existait. Trois vies de femmes détruites par ta faute. Jamais je ne te pardonnerai, tu m'entends ? Et ne compte pas revoir ma fille. J'espère que tu ne l'as pas tripotée, elle aussi.

— Je te jure que non.

— De quel droit te permets-tu de jurer ? Toute ta vie tu n'as fait qu'injurier ceux que tu rencontrais. Maman, moi, Françoise, Justine…

Son père ferme les yeux, pour aussitôt les rouvrir. Il entend la chaise rouler sur le plancher. Lou s'est approchée du lit. Il la regarde avec insistance.

— Si jamais ta destination s'avérait être le ciel, ce qui me semble tout à fait impossible, laisse maman tranquille et fais celui qui ne la connaît pas. Tu mettrais fin à son paradis, de la même façon que tu as su mettre fin à sa vie de misère terrestre.

D'un geste lent, Lou, tend la main vers le lit de son père agonisant. Croyant à un geste de réconciliation, il tend vers elle ses doigts noueux.

— Ne t'avise pas de me toucher.

— Vous avez sonné ?

Lou n'entend plus que la respiration sifflante de son père. Elle se décide à sortir de la chambre. En passant devant le poste des infirmières, où il y a branle-bas de combat, le code d'urgence est annoncé. Lou sait qu'elle est enfin délivrée de cette plaie paternelle.

CHAPITRE 17

La mort dans l'âme

Au deuxième banc de la petite chapelle, se tiennent Françoise et Benoît. L'odeur de l'encens est forte. Lou n'a pas voulu assister aux funérailles. Françoise se demande, elle, ce qu'elle fait ici. Elle entend la porte de l'église s'ouvrir et voit, venant à sa rencontre, Dave, Justine et Élizabeth.

Le prêtre fait court et vite. Personne n'a versé de larmes. Seule Justine sent sa gorge nouée. Elle avait très peu de contact avec son grand-père et ne le trouvait pas particulièrement attachant, surtout lorsqu'il lui parlait en mal de sa mère. Mais toute l'atmosphère des derniers jours la rend particulièrement angoissée.

En sortant de l'église, Élizabeth prend Justine par la main. Elle ressent la fragilité de Justine, tendue, étouffant ses sanglots, bousculée par trop d'émotions. Dave est hagard, bouleversé et rongé par la culpabilité.

— Dave, j'ai promis à Justine de l'amener manger au restaurant. Je dois partir pour Mégantic vers seize heures. Tu seras de retour chez toi, ou tu préfères que je dépose la puce chez Françoise et Benoît ?

Justine soupire. Elle aurait envie de leur dire qu'elle n'est pas une puce, mais préfère se taire.

— Je serai à la maison à seize heures. Ça va Justine ?

— Ça va, papa.

Avant de partir, Justine embrasse Françoise et Benoît et passe tout droit devant son père. Tous les trois la regardent s'éloigner au bras d'Élizabeth.

— J'ai du mal à croire qu'Alice en soit arrivée là. Je me sens coupable face à ma fille, je ne sais plus comment l'aborder.

— Tu viens prendre un café à la maison, Dave ?

Élizabeth et Justine se baladent bras dessus, bras dessous. Elles ont toujours été proches l'une de l'autre.

— C'est facile avec toi, Élizabeth. Jamais de cris.

Élizabeth s'arrête, regarde la jeune fille dans les yeux et lui fait promettre de ne jamais laisser personne lui dire qu'elle est autre chose qu'un être fabuleux. Personne.

— Même ma mère, Élizabeth ?

— Personne, ma puce. Ta mère traverse une période très difficile, Justine. Elle aura besoin de nous tous.

— De papa aussi ?

— Je ne sais pas. Dave ne m'a pas trop parlé de cette rupture. Ce que je sais, c'est qu'il semble très bouleversé.

— Il voyait une femme. Il a mis un terme à la relation. J'espérais sincèrement…

— Justine, il y a des fois où on ne peut pas tout comprendre.

Élizabeth serre la petite plus près d'elle. Elle est triste de constater qu'à l'âge où la désinvolture devrait prendre toute la place, c'est plutôt la retenue et la lourde responsabilité qui pèsent sur les épaules de cette adolescente.

— Tu sais, je ne suis pas si bête. Je sais comprendre certaines choses.

— Je ne t'ai jamais trouvée bête. Je trouve triste que ça arrive. Viens, je connais un petit resto tout près. Allons prendre une bouchée.

— Je n'ai pas tellement faim, Élizabeth.

— Tu mangeras ce que tu pourras.

***

Benoît apporte un café brûlant à Dave et Françoise. Il prend place sur le grand canapé, aux côtés de sa chérie.

— Françoise, je me sens vraiment mal. Tout ce qui est arrivé est de ma faute.

Dave se tient sur le bout de sa chaise. L'inconfort qu'il ressent est palpable. Françoise n'aurait qu'une envie, celle de fuir.

— Lou a souffert énormément de la mort de sa mère, tu sais Dave ?

— Elle n'a jamais voulu aborder le sujet avec moi.

— C'est une dure. Il y a des secrets difficiles à partager.

— Il me semble que lorsque tu aimes une personne, tu ne peux rien lui cacher.

Cette phrase fait sursauter Françoise. C'est trop facile de tout mettre sur le dos de l'amour et tout ce qui devrait lui être accolé. L'amour ne parvient pas, enfin pas toujours, à faire hurler ses blessures.

— Écoute, Françoise. Je veux aller la voir.

— Dave, elle est très mal en point, je t'assure.

— Tu veux la garder pour toi seule ?

Françoise passe outre à la remarque.

— Excuse-moi, Françoise.

— Dave, ce dont Lou a besoin c'est de compréhension, de soutien et d'attention. Te crois-tu assez fort pour l'affronter ?

— Je le ferai pour Justine.

— Et tu crois que Lou ne s'en apercevrait pas ? Tu crois…

— Je dois te dire quelque chose, Françoise. Ça fait un bout que Benoît est au courant, mais je n'avais pas le courage de te le dire et je lui ai demandé de ne pas t'en parler.

— Que se passe-t-il ?

— J'ai eu une maîtresse. J'avais besoin de défaire les liens qui m'unissaient à Lou.

Françoise se lève. Elle pointe l'index vers Dave. Ses yeux expriment la colère.

— Tu n'as pas le droit, Dave. Alors, c'est donc vrai. Je pensais que Lou fabulait. Et toi, Benoît, tu n'as rien dit ?

— Dave m'avait demandé.

— C'est donc beau la solidarité masculine. Y a-t-il autre chose que je devrais savoir ? Peut-être as-tu une maîtresse, toi aussi, Benoît ?

— Ne mêle pas tout, Françoise…

— Ne vous disputez pas, s'il vous plaît. Françoise, ne soit pas ridicule. Tu sais très bien que Benoît n'a jamais eu d'aventure.

Françoise, rageuse, se rassoit et ferme les yeux.

Dave se prend la tête entre les mains.

— Je sais que je n'ai pas toujours été correct avec Alice.

— Cette femme-là t'a aimé. Jamais je ne l'ai vue aimer quelqu'un si passionnément.

— Françoise, Alice est perturbée. J'ai aimé cette femme au-delà de tout espoir.

— Et la petite… tu as pensé à Justine ?

— Je ne fais que penser à Justine. Tu aurais vécu, toi, avec Alice, vingt-quatre heures sur vingt-quatre ? Tu as déjà entendu les paroles blessantes qu'une mère peut dire à son enfant ?

— De toute façon, tu ne l'as jamais comprise, Dave.

— Calmez-vous tous les deux. Il ne sert à rien de vous blesser. Françoise, sois honnête. Tu sais qu'Alice a un grave problème d'alcoolisme. Tu lui as souvent répété…

— Elle avait juste besoin d'être protégée. Pas de devenir cocue.

— Je l'ai été plus souvent qu'à mon tour.

— Ça suffit, vous ne réglerez absolument rien de cette façon.

Françoise se met à pleurer. Benoît l'entoure de ses bras. Dave s'approche d'elle, se penche et lui prend les mains.

— Françoise, je sais que Lou est importante pour toi. Et tu sais, cette aventure… ce n'était qu'un prétexte pour la rendre jalouse. Cette femme a bel et bien passé quelque temps à la maison, mais ce n'était pas sérieux. La journée de sa tentative de suicide, je suis retourné à la maison. Alice m'a téléphoné et...

— Tu l'as vue cette journée-là ?

Dave se lève, arpente la cuisine.

— Je n'ai pas joué franc jeu avec Lou et c'est cette soirée que je regrette. Ce que j'ai fait, ça été un geste de salaud.

— De quelle soirée parles-tu ? Le soir de ses quarante ans ?

— Non, celle de mercredi soir.

— Ce qui veut dire ?

— Elle m'a téléphoné. J'ai prétexté devoir aller chez elle. Justine était chez Élizabeth et j'ai fait l'amour avec Lou. Mais lorsqu'elle m'a avoué qu'elle m'aimait… je lui ai dit que depuis trois mois, j'avais fait la rencontre d'une femme… Elle s'est mise dans une profonde colère, ce qui l'a probablement amenée à boire. Au lieu de l'aider...

— Dave, pourquoi ?

— Je ne le sais pas, Françoise. Lou est pour moi l'amour de ma vie. J'aime cette femme, mais en même temps, je sais que cette relation devient de plus en plus malsaine. Lou est malade, Françoise.

— Raison de plus, crisse, pour ne pas la blesser davantage. Tu as pensé avec tes couilles et regarde…

— Françoise, je l'aime, mais…

Elle lui fait signe de se taire. Les paroles pourraient être trop blessantes si la conversation continuait sur ce ton. La pente serait trop abrupte. Elle sait que Dave a aimé Alice et qu'il a souffert terriblement de cette relation. Elle se souvient des soirées trop arrosées où elle partait avec un gars, juste pour le kick. Elle sait combien Dave a été blessé et a tout essayé…

— Je voulais juste… J'ai presque fait mourir la mère de ma fille, Françoise. Il faut que j'aille tout lui expliquer, m'excuser.

Françoise lui remet un papier mouchoir.

— Je n'étais pas au courant, Dave, pour mercredi dernier. Je te jure, Lou ne m'en a rien dit. Mais, tu étais déjà avec cette femme, comment as-tu pu ?

— J'ai justement mis fin à cette relation, la veille. Tu peux me traiter de salaud, je l'avoue, mais cette aventure c'est du passé.

— Tu n'es plus avec cette femme ?

— Une simple aventure.

Françoise reste muette. Benoît s'approche.

— Ça va aller, ma chérie ?

— J'ai besoin d'aller respirer, ici, tout à coup, l'air me semble plus vicié.

— Lou, je l'ai dans la peau. Je sors avec toi.

— Non, j'y vais seule.

— Nous t'accompagnons, Françoise.

— Dave, réponds à cette seule question : tu l'aimes ou tu fais tout ça pour Justine ?

— Que tu le croies ou pas, j'aime Alice.

Sur le trottoir, Dave et Benoît discutent du père de Lou. Françoise les écoute parler du service funèbre d'aujourd'hui : une église presque vide, un cercueil sans fleur, juste un curé, qui, comme un automate, discourait avec des paroles vides de sens. Avoir passé soixante-quinze ans sur la terre sans que personne ne puisse relater de faits sur le sens d'une vie, de la vie de cet homme mort, est l'une des plus pénibles fins de vie qui soit.

— Cet homme était malheureux.

— Lou n'était pas particulièrement près du beau-père.

Le grand air a redonné des couleurs à Françoise. Elle prend la main de Dave et de Benoît.

— Je me rappelle des moments magnifiques que Lou et moi avons passés à l'adolescence.

« C'était un jeudi matin ensoleillé de mai. Le Cégep était à quinze minutes de marche de la maison des parents de Lou. Sur le boulevard du Séminaire, les autos circulaient sans encombre. Un dernier examen, enfin, et la session serait terminée. Nous nous étions données rendez-vous à la cafétéria où régnait une cacophonie incroyable et où les sourires radieux se transformaient en éclats de rire. »

« *Nous avions magasiné une bonne partie de l'après-midi sur la rue Richelieu. À notre retour, la mère de Lou nous accueillit, souriante. Je la vois encore plantée devant le comptoir de la cuisine jaune, portant son éternel pantalon noir, comme si toutes les parties recouvertes par son vêtement étaient en deuil. D'ailleurs, il était très rare qu'elle porte des vêtements de couleur. Le gris et très souvent le noir ornaient le haut de son corps. Jamais de bijoux, jamais de maquillage. Elle avait un petit teint jaunâtre, fumait une cigarette après l'autre. De plus, un verre de gin, jamais vide, traînait toujours sur la table.* »

Dave est surpris par cette dernière phrase.

— Je ne savais pas que Lou a hérité du geste de sa mère.

— T'a-t-elle déjà parlé, Dave, de l'ambiance qui régnait chez elle ?

— Que très rarement. Elle était peu bavarde à propos de son passé. Elle disait vouloir éviter le sujet. Elle s'échappait lorsqu'elle prenait un verre de trop. Jamais ou presque nous allions ensemble chez le beau-père. Je n'y voyais aucun inconvénient. D'ailleurs, Justine a eu très peu de contact avec son grand-père. Elle disait qu'il n'était pas gentil.

Françoise croit que Lou avait tout à fait raison de ne pas amener sa fille chez son grand-père. Elle recommence à parler de ses souvenirs.

« *Le jeudi, la mère de Lou était effectivement plus nerveuse, son mari allait à la taverne et ne rentrait que vers vingt heures, souvent éméché. Ivre mort, il devenait violent et s'en prenait souvent, si souvent à* » *sa femme, surtout lorsque nous étions sorties. Lors de notre retour, lorsque la mère de Lou était installée silencieusement au salon, à fumer et à essuyer quelques larmes, nous savions que ça avait brassé. »*

« Dans ces moments-là, Alice s'approchait de sa mère pour la consoler. Celle-ci l'envoyait chez le diable et Alice lui disait d'arrêter de jouer à la victime et d'y voir. Je détestais cette façon de faire de Lou, mais je n'intervenais jamais lors des disputes de famille, me disant qu'il était normal que ça ne tourne pas toujours rond dans une famille. D'ailleurs, l'exemple que j'avais eu de la mienne allait dans le même sens. »

« Ce même soir, après le souper, Alice et moi, nous nous étions promis toute une virée. Il fallait fêter la fin de session. Ce fut une magnifique soirée. »

Françoise ne veut plus aller du côté des souvenirs. Elle demande à Dave et à Benoît s'ils n'auraient pas envie d'aller prendre une petite bouchée. Les deux hommes acquiescent à la demande et tous les trois entrent dans un petit resto tranquille.

Pour aujourd'hui, Françoise est allée aussi loin qu'elle le pouvait. Son passé, malgré le fait qu'elle y soit si souvent retournée, lui fait encore mal.

Elle pense plutôt à demain, lorsqu'elle ira voir Lou. Justine, Dave et Benoît sont supposés venir les rejoindre. Et comme il n'y a pas si longtemps, ils se retrouveront à rire et à parler de la vie.

CHAPITRE 18

Au nom de l'amitié

Dans la petite boutique de l'hôpital, Françoise voit un ourson en peluche brun. Elle l'achète en croyant que Lou pourrait peut-être se sentir réconfortée par sa douceur. Hésitante, trouvant son geste enfantin, elle décide tout de même d'en acheter deux. Un pour sa grande amie et l'autre pour la puce.

***

Lou, debout devant la porte verrouillée, attend l'arrivée de Françoise. Françoise l'aperçoit derrière la vitre et lui fait un sourire. Aussitôt la porte déverrouillée, Lou s'avance vers Françoise.

— Tu es enfin sortie de ta chambre.

— Je présume que tu es allée aux funérailles du vieux salaud ?

— Mon Dieu, Lou, tu as pris des couleurs. D'un geste enfantin, elle lui tend l'ourson. Lou le regarde à peine.

— Tu as l'air mieux.

— Je ne sais pas si je suis mieux. De savoir ce vieux fou mort et enterré, je me sens soulagée. Allez, raconte-moi tout.

— Viens, allons dans ta chambre.

— Fermons les rideaux, je pense que l'on m'espionne.

— Qui t'espionne, Lou ?

—— Plusieurs personnes.

Lou jette l'ourson sur son oreiller. Assises l'une en face de l'autre, Françoise ne sait pas par quel bout commencer la conversation.

—— Et puis, l'as-tu enterré ce vieux con ?

—— Oui, j'ai assisté aux funérailles de ton père.

—— Il ne devait pas y avoir beaucoup de monde, ce salaud n'avait pas d'amis.

—— Il n'y avait que moi. Parler de la présence des autres ne ferait qu'alimenter la colère de Lou.

—— J'espère qu'il n'est pas allé au ciel.

—— Voyons Alice, tu n'as jamais cru ni au ciel ni à l'enfer.

Lou se redresse et fixe Françoise. Ni l'une ni l'autre ne baisse les yeux.

—— J'ai besoin de savoir qu'il souffre plus que tout et je l'imagine très bien brûler dans les flammes.

Françoise est surprise. Elle n'avait jamais vu ce petit sourire auparavant sur le visage de Lou.

—— Je crois qu'il ne te sert à rien de te mettre dans cet état. T'imprégner de colère…

—— De toute évidence, je ne pense pas que tu puisses me dire comment me comporter.

— Lou, ne prends pas ce petit ton sarcastique avec moi. La raison pour laquelle j'en veux à ton père, c'est de t'avoir tout raconté.

— Bon, enfin tu te décides à en parler. Tu as fini de faire l'innocente ?

— Écoute, Lou…

— NON, TOI ÉCOUTE ! Ce n'est pas lui qui me l'a dit. Ma mère, avant de mourir, avait écrit une lettre que je n'avais jamais voulu lire. Je l'ai lue l'autre soir. Elle me racontait geste par geste ce qu'il t'a fait subir. On appelle ça un abus sexuel, Françoise. J'ai été prise d'une envie folle de tuer mon père, mais j'en ai été incapable. Je ne comprends toujours pas ton mutisme. Comment as-tu pu continuer à vivre sous le même toit que cet homme ?

Françoise se sent mal à l'aise et hausse le ton à son tour.

— NE CRIE PAS APRÈS MOI. Que veux-tu que je t'explique ? Comment veux-tu que je sache exactement tout ce que j'ai pu penser ?

Des pas, que Françoise et Lou n'entendent pas, s'arrêtent devant la porte de chambre de Lou. Benoît, Dave et Justine sont estomaqués d'entendre Françoise crier de la sorte.

— Mais il t'a violée, Françoise.

La gorge nouée, Françoise tord ses doigts.

Benoît et Dave se regardent, médusés. Benoît serre les poings. Dave serre sa fille tout près de lui.

— On devrait partir… lui chuchote-t-il à l'oreille.

— Non, papa !

Françoise, bien droite devant Lou, réprime une envie folle de hurler.

— Lou, si ce n'avait pas été moi, c'est toi que ton père aurait violée.

De cette affirmation, Françoise en a toujours été manifestement convaincue, elle a toujours su que le père de Lou aurait été capable d'une telle atrocité. Elle avait entendu la mère de Lou, un soir de beuverie, lui dire de ne pas prendre la petite Louve, mais de la prendre, elle, la mère, sa femme, à qui ce rôle revenait.

— Tu veux dire que tu as accepté ce viol pour me protéger ? Le ton cinglant qu'a pris Lou pour poser cette question confronte Françoise sur ses propos.

— Je n'ai jamais accepté. Je ne me suis pas donnée en pâture pour te protéger. Je me suis fait prendre de force.

— Pourquoi ne l'as-tu jamais dénoncé ?

Françoise la regarde, hausse les épaules, tente de refouler les sanglots qui lui serrent la gorge. Cette question, elle se l'est souvent posée et n'y a jamais trouvé de réponse.

— Pourquoi ? Arrête de jouer à l'innocente et réponds. Je suppose que ton grand besoin de me protéger était plus fort que tout ?

— Je ne sais pas, Lou. J'avais tellement honte. Je me disais que ce qui s'est passé…

Lou change brutalement de comportement et semble tout à coup comprendre le désarroi de Françoise. Elle se lève péniblement de son fauteuil, se dirige vers Françoise, la prend entre ses bras tremblants.

— Merci pour tout, ma belle Françoise. Je m'excuse d'avoir douté de toi, de ton amitié. Nous sommes deux rescapées d'un navire qui ballottait au vent. Françoise, est-ce que cette vie vaut vraiment la peine d'être vécue ?

— Ce soir, je serais tentée de te répondre non.

Justine serre le bras de son père. Jamais elle ne l'avait vu avec cette peine dans le regard. Elle a envie de se boucher les oreilles. Dave lui prend le menton, elle le voit, pour la première fois, les yeux pleins d'eau. Benoît est blême et demeure muet.

— Partons, Justine.

— Va-t-en si tu veux, moi je reste. Je veux aider maman.

— Pourquoi continues-tu, Françoise ?

— Il y a Benoît, Justine, Élizabeth, Dave. Et il y a toi. Quelquefois, j'ai l'impression que ce drame n'a jamais existé. J'ai bien tenté, moi aussi, d'y échapper. Si ça peut t'encourager, avec le temps, j'ai réussi à panser mes blessures.

— Pourquoi est-ce que je continuerais, moi ?

— Tu n'es pas seule, il y a la puce, Dave…

— Justement, je l'aime plus qu'il ne m'aime. C'est le désert après chaque rupture. Qui dit désert, dit assoiffée, la roue tourne sans jamais vouloir s'arrêter. La seule façon d'y parvenir, c'est de l'arrêter soi-même.

— NON, LOU ! Regarde-moi ! La seule façon d'y parvenir, c'est de faire face à tes peurs et à tes angoisses. Pense à ta fille, bon sang.

— Elles sont légions ces peurs, j'en serai incapable. J'ai besoin de béquilles, beaucoup plus que la vie peut me permettre d'en prendre… Justine, elle a besoin d'une meilleure mère. Tu ferais une meilleure mère. Élizabeth ferait une meilleure mère…

— Chaque personne possède ses propres craintes et ses propres cauchemars, Lou. Moi, je sais que tu peux t'en sortir. Je ne te laisserai jamais tomber. Tu es une bonne mère. Ta fille t'aime. Que te faut-il de plus ?

Lou retourne s'asseoir. Elle est exténuée. Son regard change subitement. Elle se prend la tête entre les mains, se tire les cheveux. Se lève, s'avance vers Françoise, la fixe d'une façon étrange. Elle bat les bras. Des mouvements vides, de sens. Elle arrête, plisse les yeux, puis les ouvre grands.

Françoise recule.

— Non Françoise, je ne veux pas que tu me laisses seule, car il y a beaucoup de choses que je ne comprends pas. Et la première est qu'amitié et cachotteries ne devraient pas faire bonne paire. Pourquoi m'avoir caché ce viol ? Au nom de notre amitié, en connais-tu au moins la définition ?

— Tu doutes aujourd'hui de notre amitié, Lou ? Je me suis tue à cause, justement, de cette amitié. Je veux que tu t'en sortes. Ensemble…

— Pour pouvoir s'en sortir, il faut savoir véritablement ce qui s'est passé. Raconte-moi tout, je veux connaître la façon dont CE VIOL s'est déroulé.

Françoise est chancelante, se prend la tête entre les mains. Elle entend des chuchotements, se retourne, mais ne voit que la teinte grisâtre des rideaux.

— REGARDE-MOI, FRANÇOISE, JE VEUX QUE TU ME RACONTES TOUT.

Françoise, les yeux écarquillés, se sent traquée. L'angoisse la reprend soudainement.

— Françoise, je suis en droit de savoir ce que mon père t'a fait. RACONTE-MOI TOUT !

— Mais quelles explications veux-tu que je te donne ? Et quel droit crois-tu détenir ?

— J'ai besoin de savoir ce qui s'est passé. Ma mère s'est donné la mort après ce geste, tu comprends ? Tu n'es pas la seule et unique personne impliquée dans ce drame. D'ailleurs combien de fois est-ce arrivé ?

Une seule fois, une fois de trop.

— Je t'écoute, Françoise.

Françoise ne sait pas si c'est la voix trouble de Lou qui donne un ton sinistre à la conversation, mais sent que le timbre de sa propre voix sera beaucoup plus haut que la normale. D'instinct, elle sait que si elle ouvre la bouche, elle ne pourra plus s'arrêter.

— Je te le répète, tu n'es pas la seule victime, ma mère, moi...

Françoise pointe l'index vers Lou.

— Tu veux que je te dise que ton père, ce vieux cochon, sentait le fond de tonne lorsqu'il m'embrassait sur la bouche ? Que son sourire était crispé lorsqu'il a mis ses mains sous mon chandail ? Ses paroles, tu veux les entendre ? *« Deux beaux p'tits tétons comme je les aime, y sont un p'tit peu plus gros que ceux de ma Alice »*.

Françoise est déjà hors d'haleine.

— Tu veux que je te dise sa langue râpeuse et gluante sur mes mamelons ? Sa main droite essayant de défaire mon pantalon, sans être capable d'y parvenir ? Tu veux savoir la suite ?

Les deux femmes se fouillent du regard. Lou a un visage de marbre. Françoise pose les deux mains sur les bras de la chaise sur laquelle Lou est allée choir. Lou, assise à quelques centimètres du visage de Françoise, reçoit en pleine figure le crachat des mots pénibles à prononcer.

— Il a défait sa fermeture éclair et tu sais où il l'a mis ce pénis si répugnant ? L'odeur d'urine, je ne l'oublierai jamais. Je ne voulais pas qu'il éjacule. J'en aurais vomi toute ma vie.

— Tu aurais pu le mordre.

— MAIS OUI. J'aurais pu, comme j'aurais pu le dénoncer à la police, comme j'aurais pu t'en parler. Tu aurais fait quoi, toi, madame qui est censée tout savoir sur la façon d'agir en de telles occasions ? Moi, je suis restée muette parce que j'avais une peur bleue de te perdre.

Françoise, épuisée s'assoit sur le lit. Elle n'a qu'à tendre le bras pour s'emparer du verre d'eau. Elle ferme les yeux. Les souvenirs sont très douloureux. Lorsqu'elle ouvre les yeux, Lou serre sur son cœur l'ourson baigné de larmes.

La force qui l'a amenée vers cette libération est trop intense, trop violente. Françoise se relève, mains sur les hanches, de peur de frapper Lou, qui l'a obligée à ouvrir cette valve.

— Tu aurais fait quoi, chère Lou ? Tu ne réponds pas ? Attends, c'est sûrement parce qu'il te manque quelques détails croustillants.

Lou se contracte sur sa chaise.

— Ensuite, Lou, ton père, celui qui m'a agressée, m'a attaché les mains, parce que je me débattais trop. Puis, il a réussi, par gestes saccadés, à défaire mon pantalon. Jamais je n'oublierai ces moments, tu comprends? Il me semblait que le temps était suspendu entre ce lit et cet homme. J'avais le sentiment de vivre dans un vase clos. Et ton père était là, devant moi.

Françoise prend de profondes respirations. Lou est muette et ne bouge pas.

— Je me rappelle de tout, Lou. De ses gestes, de ses paroles. Tu veux les entendre? « *Wow, une belle tite pucelle* », et d'un coup de reins, il m'a déchirée. Il a mis sa main sur ma bouche pour m'empêcher de crier.

Françoise se déplace. D'un bond, les yeux exorbités, se retourne et de nouveau se dirige vers Lou, l'index pointé vers le cœur de cette dernière. Elle poursuit.

— Pour aider à ta guérison, sache que je n'ai pas joui. Veux-tu savoir autre chose ma chère et tendre amie ou le compte y est? J'espère que ces détails aideront à ton rétablissement.

Françoise prend son manteau et réussit, malgré la faiblesse de ses jambes, à sortir de la pièce. Elle aperçoit Benoît, les yeux baignés de larmes. Dave et Justine se tiennent dans les bras l'un et l'autre. Elle passe tout droit devant les bras grands ouverts de Benoît. Dégoûtée, elle sait qu'ils ont entendu la conversation. Elle se sent traquée, prise au piège.

Tous quatre entendent le cri de Lou, un cri de louve blessée, enragée, et étouffée par les larmes : « IL AVAIT ATTACHÉ ET BÂILLONNÉ MA MÈRE ».

Dave empêche Justine de se précipiter vers sa mère. Françoise s'est réfugiée aux toilettes et Benoît tente de lui faire ouvrir la porte. Françoise lui demande de partir, mais il ne peut se résigner à la laisser dans un tel état. Après de longues minutes d'attente, lorsqu'elle ouvre la porte, il aperçoit une femme défaite. Le mascara lui roule sur les joues. Ses larmes noires barbouillent complètement ce visage déformé par la honte et la colère. Lorsqu'elle lève la tête, elle voit Justine se diriger vers la chambre de sa mère.

À la vue de sa fille, Lou lui tourne le dos.

— Va-t-en Justine. J'ai besoin d'être seule. Tu ne pourras jamais comprendre, comme je n'ai jamais compris ma mère.

— Mais maman, je vais prendre soin de toi. Je te le jure. Reviens à la maison, reviens, je t'en prie.

— Je t'ai demandé de sortir. SORS… VOUS NE COMPRENEZ DONC RIEN… ALLEZ-VOUS ME LAISSER TRANQUILLE UNE FOIS POUR TOUTES ?

Le souffle saccadé de Justine l'empêche de continuer à hurler. Elle est bousculée par l'infirmier qui injecte un médicament à Lou, en crise. Dave prend Justine par le bras et l'entraîne dans le couloir. Françoise, assise sur une chaise, est muette et fixe le mur devant elle.

C'est face à une Lou anéantie et recroquevillée sur elle-même, serrant très fort son ourson entre ses bras, que l'infirmier constate que le médicament fait vite effet. Sa patiente se calme rapidement. Il sort de la chambre sur la pointe des pieds et regarde le spectacle désolant des visiteurs de la chambre de madame Breton. Tous les quatre semblent si démunis devant une situation qu'il ne connaît pas.

Après que chacun ait repris son souffle, ces quatre êtres, éperdument tristes et ébranlés, sortent de cet hôpital.

CHAPITRE 19

Un secret si lourd à porter

Arrivée à la maison, Françoise est envahie par une angoisse qui prend des proportions démesurées. Elle demande à Benoît de la laisser seule.

Elle empoigne une bouteille de vin blanc, s'en sert un verre, qu'elle boit d'un trait. Elle se dirige vers son atelier, se sert une deuxième fois. Puis une troisième. Au quatrième verre, elle sort ses pinceaux et une toile vierge.

Des traits noirs, très foncés apparaissent sur le canevas et lui font penser aux vêtements que portait la mère de Lou. Sur ce nuage de colère, par petits coups violents, elle superpose une couche tout aussi foncée. Le même stratagème est employé jusqu'à ce que son pinceau ne lui offre plus de couleur sombre. Reculant pour mieux définir la forme que son esquisse a prise, elle met sa tête entre ses mains.

Elle boit le dernier verre de vin. Elle trempe le bout du pinceau à la dernière goutte, cette larme de Sauvignon, au contact de la toile, s'étale sur une toute petite surface, là, en haut, à gauche. Cette cicatrice pleure. D'un geste vif, son pinceau gonflé de couleur jaune, la même teinte qui recouvrait les murs de la cuisine de la mère de Lou, éclabousse le contour de cette tache. Une raie de luminosité détonne.

Assise face à son chef-d'œuvre, Françoise pleure toutes les larmes de son corps. Une peur bleue, déjà connue, la prend aux tripes.

Lorsque Benoît la rejoint, il la retrouve pliée en deux, la bouteille vide à ses côtés. De sa bouche sortent des spasmes de pleurs incontrôlables. Lorsqu'il lui relève le menton, Françoise se cache le visage de ses mains tachées.

Benoît, tout doucement, écarte ces doigts si longs, si frêles et y découvre un visage complètement bariolé. Plus un morceau de chair pâle ne paraît sur ce masque de souffrance. Seuls deux yeux, rougis par la peine, dépeignent son visage terne, à peine vivant.

— Viens, Françoise.

— Benoît...

Il se retrouve assis face à Françoise et l'enlace tendrement. Françoise s'en détache. Elle pose les yeux sur les vêtements et le visage de Benoît, barbouillés de cette peinture si triste. Elle tente de se lever, mais se ravise. Tout bouge trop autour d'elle.

— Merci d'être là, mon amour.

Elle se retrouve sous les jets glacés de la douche. La peinture se décolore, l'eau est grise. Son corps commence à bleuir et elle ne sent plus l'eau sur son épiderme.

Elle sort de la douche, regarde l'horloge et vient s'installer sous les couvertures. Elle demande à Benoît de venir la rejoindre.

Installé confortablement sur la bergère qu'il a rapprochée de leur grand lit, Benoît la fixe. Elle sait qu'il est prêt à tout entendre.

— Tu n'as pas à avoir honte. Regarde-moi. Je veux que tu saches que quoi qu'il te soit arrivé, je continuerai toujours à t'aimer.

Elle le fixe sans broncher, les yeux remplis de larmes.

— Ce fut terrible. Je ne pouvais en parler à personne, même pas à toi, Benoît. Je me sentais incapable d'aborder le sujet. J'ai toujours voulu enterrer ce secret. Je pense que c'est la honte, la peur de l'abandon. Alors, j'ai fait celle qui était au-dessus de toute souffrance. Mais, on ne peut pas vivre comme si rien ne s'était passé. Il y a dix ans, lorsque j'ai fait ma tentative de suicide… Tu comprends ? J'ai été capable de vivre avec mon armure. Mais là, cette protection est tombée.

— Bien avant notre mariage, j'ai tout de suite senti ta souffrance. Et j'ai toujours respecté ton silence. Ce que je veux que tu saches, c'est que quoiqu'il ait pu t'arriver, je t'aime. Je te trouve extraordinaire. Pour moi, tu es LA femme.

Françoise se blottit entre ses bras.

— Benoît, de ressasser cette mauvaise étape de vie me trouble. J'ai besoin de faire le point. Je crois qu'Alice et moi devons prendre du recul. Je la hais, tu entends ce que je te dis ? Je déteste la façon méprisante dont elle me regarde. Tu veux aller me chercher un verre de vin ?

Françoise se sent prise au piège. Non, décidément elle ne veut plus protéger Alice et, de toute façon, ne se sent pas en forme pour sauver la planète entière. Elle se remémore les moments difficiles, ceux qui l'ont entraînée, il y a maintenant dix ans, dans la dépression. Elle sait une chose, elle ne se laissera plus aller à de si profondes pensées. Elle s'en est sortie une fois, elle s'en sortira à nouveau. Son amitié pour Lou est importante, mais plus au point de se laisser mourir. Non ! La vraie Françoise, la combattante, en a vu d'autres et ce n'est pas cette fois qu'elle se laissera piéger.

— Chère Lou, je t'aime et dorénavant, je te laisse le choix de notre amitié. Moi, je dois prendre soin de moi. Je choisis la vie, je choisis ma vie.

Lorsque Benoît entre, il trouve sa Françoise, nue. Il se couche à ses côtés.

Françoise, dans un demi-sommeil, appuie sa tête sur la poitrine de Benoît. Elle se sent en sécurité auprès de lui. Elle s'étend de tout son long sur ce corps d'homme amoureux et lui embrasse le cou, puis descend sur sa poitrine velue. Lentement, elle glisse sa main le long de son ventre, jusqu'à son nombril et ne tarde pas à laisser sa main frôler le membre, déjà durci de Benoît.

— Françoise, tu sais…

Et sans lui donner la chance de continuer, elle se penche et le prend goulûment.

Assouvie de caresses et de baisers, Françoise demande à Benoît de la prendre dans ses bras.

— Je t'aime, Benoît. Je veux que tu comprennes que rien au monde ne pourra me séparer de toi. Je te demande du temps, tout simplement.

— Tu ne te débarrasseras pas de moi facilement, ma chérie. Je suis à tes côtés, quoi qu'il arrive, je veux que tu t'en souviennes.

Françoise ferme les yeux. Elle se rappelle Dave et Justine, qui sont eux aussi mal en point.

— Benoît, Justine et Dave auront besoin d'aide.

— Tu voudrais qu'on prenne la puce avec nous, le temps que Lou reprenne ses forces ?

— Je n'ai ni la force ni le courage de m'occuper de Justine. J'appellerai Élizabeth, j'ai besoin de sa présence. Elle pourra m'aider à faire des choix éclairés.

— Pour ce qui est de Dave, je m'arrangerai pour aller le voir plus souvent, ne t'inquiète pas ma chérie.

C'est en se penchant pour l'embrasser qu'il s'aperçoit qu'elle s'est endormie.

CHAPITRE 20

De la colère à la peur

Dave et Justine sont assis l'un en face de l'autre. Ils ont commandé une pizza, pour la forme.

— Écoute Justine, je ne sais ni quoi dire, ni quoi faire.

— Alors, ne dit rien et ne fait rien. Je suppose que tout ça est arrivé à cause de votre rupture ?

— Justine, ta mère et moi, ça ne fonctionnait pas depuis plusieurs années. Nous avons tout essayé. Ta mère boit beaucoup, elle n'est pas bien.

— Ça fait longtemps que je l'ai constaté. D'ailleurs, elle boit de plus en plus depuis ton départ. C'est moi qui devais aller la border le soir. C'est ton rôle de prendre soin d'elle. Je t'en veux tellement. Tu savais pour grand-père et Françoise ?

— Non. Allons nous coucher, je suis vidé.

— J'irai coucher chez Rose. Je l'ai appelée tantôt. Je n'ai pas envie de retourner à la maison. Je crois que ça nous fera du bien.

— Écoute Justine, je ne veux pas que tout ceci te perturbe.

— Me perturber ? Ma mère fait une tentative de suicide, et voilà que je viens d'apprendre que ma grand-mère s'est suicidée et que mon grand-père a abusé de l'amie de ma mère. Pas de quoi perturber une fille de treize ans, tu ne crois pas ?

Dave la fixe, il ne sait pas quoi répondre. C'est trop pour lui. Il lui tend un billet de 50 $.

— Tu prendras un taxi, Justine. J'ai besoin de faire le point.

— Tu aurais pu faire un effort au lieu de ramener cette Joannie à la maison. Tu n'as pas honte ?

— Justine, je crois qu'il vaudrait mieux ne pas discuter de cette relation.

— À ce que je vois, on ne peut pas discuter de grand-chose, ni avec toi, ni avec ma mère. Dans le fond, je crois que je serais bien mieux d'aller habiter chez Élizabeth. Elle, je suis certaine qu'elle m'aime.

— Ne doute même pas de mon amour pour toi. Justine si… et puis non. Je ne me sens pas bien, Justine, tu veux rentrer avec moi ?

— Non. Mais tu ne m'écoutes pas ! Ah et puis, laisse tomber. Rose viendra me rejoindre ici dans quinze minutes.

— Je serai à la maison, si tu as besoin de moi.

Justine regarde son père sortir du restaurant. Tout ce qu'il désirait, c'était de la fuir, elle, sa fille. Il n'est même pas capable de la prendre dans ses bras. Pourtant, lorsque cette Joannie se jetait dans les bras de son père… Elle ne veut plus penser à cette femme qui a tout fait pour éloigner son père de sa mère. Et lui, comme un idiot, s'est laissé prendre au piège. Elle a été heureuse de savoir que son père ne la voit plus depuis quelques jours, mais constate que le mal est fait.

Justine regarde sa montre et a peur tout à coup que son amie l'ait oubliée. Ses soupçons sont de courte durée puisque Rose fait tinter la cloche de la porte du restaurant.

Les deux filles chuchotent.

Justine ne lui cache rien. Elle se confie, pleure et demande à son amie si sa mère pourrait l'héberger, un temps. Le temps de laisser passer la tempête. Elle sait que Rose l'invitera sur le champ à passer toutes les nuits sous son toit. Elle sait aussi que Stéphanie, la mère de Rose, lui a toujours ouvert les bras.

CHAPITRE 21

Des pleurs et des sanglots

À sept heures du matin, c'est la sonnerie du téléphone qui réveille Benoît et Françoise.

— Dave, mais tu as vu l'heure ? Tu es avec la puce ?

— Non, elle est chez Rose. Françoise, tu peux m'ouvrir ? J'ai besoin de te parler.

— Un instant.

Dave n'a pas fermé l'œil de la nuit et prend le café que lui tend Françoise.

— Françoise, je veux aller voir Alice, lui expliquer ma situation, lui dire…

— Dave, le fais-tu pour te déculpabiliser ?

Au même moment, Benoît entre dans la cuisine.

— Comment te sens-tu ce matin ?

— Je n'ai pas fermé l'œil de la nuit. Je veux aller voir Alice, aujourd'hui. Je veux lui demander pardon.

Pour te déculpabiliser ?

— C'est quoi cette histoire de culpabilité ? Je veux tout simplement rencontrer Alice. Avec ce que j'ai entendu hier, je crois qu'elle a besoin de moi.

— Je pense sincèrement que ce sera plus compliqué que de mettre les points sur les « i ». Alice est assez perturbée. Tu t'en es bien aperçu hier. Comment va la petite ?

— Mal en point. Par chance, elle couchera chez la mère de son amie Rose, le temps que ça lui conviendra. Je ne sais pas quoi lui dire. Je ne sais pas de quelle manière aborder tout ceci avec ma fille.

— Je crois que Justine pourrait aller passer quelques temps chez Élizabeth. Je suis inquiète pour elle. Ce matin, j'aviserai Élizabeth.

— Tu vas à l'hôpital, aujourd'hui ?

— Non, je crois que pour l'instant Alice n'a pas besoin de moi.

Dave remarque aussitôt que Françoise, pour une rare fois a employé le prénom Alice au lieu de Lou.

— Tu lui en veux, Françoise ? Tu sais comment tu es importante pour elle.

— Je ne sais pas comment démêler tout ça, mais je peux te dire que j'ai besoin de prendre du recul. Elle respire profondément. Dave, Lou a eu une dispute très sévère avec son père avant d'attenter à sa vie. De plus, elle a lu une lettre que sa mère avait écrite avant de s'enlever la vie… tu connais la suite, enfin le passé.

Sa tasse de café entre les mains, Dave fixe Françoise.

Françoise se lève.

— Écoute Dave, je ne sais pas si tu devrais aller la voir. Elle est tellement fragile. Je peux te dire que j'ai besoin de couper les ponts. Alice aura sans doute besoin de toi, mais ne lui fais pas plus mal.

136

Et sans retenue, elle se met à pleurer à forts sanglots. Benoît la console.

— Je m'excuse Françoise, je n'aurais pas dû arriver sans prévenir.

— Dave, tu sais que tu as été et seras toujours le bienvenu ici. Françoise et moi t'avons toujours ouvert la porte et ce n'est pas la situation actuelle qui va faire changer le cours de choses.

— Merci, mon vieux.

Françoise s'essuie les yeux et tend ses bras vers Dave, qui à son tour se met à sangloter.

— Comme j'ai été idiot.

— Ça ne sert à rien, Dave, de te taper sur la tête. Nous avons tous besoin de garder notre sang-froid. Hier, les circonstances ont fait que nous avons tout entendu et cette situation nous touche tous, toi, Justine, Françoise et moi. Mieux vaut se serrer les coudes plutôt que de perdre notre temps à nous dire ce que l'on aurait dû ou pu faire.

— Je pense à mon Alice et je me demande comment elle va s'en sortir.

— Lou est forte, Dave.

— Mais elle peut être si fragile en même temps. Et je ne sais pas quoi faire avec Justine. Ce regard de mépris qu'elle m'a lancé, hier soir, au restaurant. Elle n'a pas tout à fait tort. J'ai l'impression de m'enfoncer dans un gouffre sans fond.

— Ne tente pas de tout régler en une seule journée.

— Je pense bien que mon plus grand besoin est celui de rencontrer Alice. Pour lui parler, la prendre dans mes bras. Je veux en prendre soin.

— Ne la brusque pas, tu obtiendras l'effet contraire.

— Comme tu la connais bien, Françoise. J'aurais dû venir te demander conseil au lieu d'agir sur un coup de tête. Je veux aller à l'hôpital et en même temps j'ai peur de l'affronter.

***

L'avant-midi est largement entamé lorsque Dave décide de les quitter. Une fois sur le trottoir, il prend la direction de l'hôpital, mais passe tout droit à l'entrée.

De plus, il pense aux paroles dites par Françoise. Des paroles coupées par les sanglots. Des mots sombres, des mots empreints de blessures et d'abandon. Françoise et Lou ont coupé les ponts. Une amitié fusionnelle. Une lutte de mots, de malaises, a su mettre un terme à ce lien.

***

Dans la chambre d'hôpital, Laurie est au chevet de Lou.

— Bonjour Alice, comment vous sentez-vous ce matin ?

— Docteur, je veux sortir d'ici, aujourd'hui.

— Tout d'abord nous devons discuter de votre peine, de certains de vos problèmes.

— Je n'ai pas de problème.

— Écoutez, vous n'avez pas attenté à votre vie parce que tout allait bien. Vous avez un ou des problèmes et il ne sert à rien de les nier.

— Ma vie, c'est à moi qu'elle appartient, j'en fais ce que je veux.

— Et moi, je suis ici pour vous aider.

— Alors, faites-moi sortir d'ici.

— Et où iriez-vous ?

— J'ai encore une adresse à ce que je sache, à moins qu'on ait vidé ma maison ? En plus, j'ai mon travail, je ne peux pas être absente trop longtemps. Puis, j'ai une fille.

— Quel âge a-t-elle ?

— Treize ans. Assez vieille pour s'apercevoir que la vie est difficile.

— Elle vient vous visiter ?

— Oui, et je lui ai demandé de partir. Ma fille... écoutez, je ne sais pas quoi vous dire sur ma fille. Pas plus que sur ma vie. J'ai l'impression que tout me glisse entre les doigts. Ma vie...

Puis Lou se tait. Elle ne veut pas pleurer devant le docteur. Cette dernière ne la laissera pas sortir si elle s'aperçoit de sa faiblesse.

— Vous pouvez me parler en toute confiance.

— Ma vie a toujours été ponctuée de hauts et de bas. J'ai aimé un homme plus que tout, il m'a trompée. Je l'ai déjà trompé, plus pour le *kick* que pour autre chose.

— Vous l'aimez encore ?

— J'ai de la difficulté avec le concept d'amour.

— Et votre fille ?

— Justine, c'est la douceur incarnée. Je ne veux pas que ma hargne face à la vie déteigne sur elle. C'est le portrait tout craché de sa tante Élizabeth. Cette tendresse au fond du regard. Je ne me suis jamais sentie à la hauteur avec Justine. Je crois que son père l'a toujours plus aimée que moi.

— Vous voulez dire que vous l'aimez moins ?

— Non, je veux dire que son père était plus en amour avec sa fille qu'avec moi. Vous croyez ça possible ?

— Je ne connais pas le père de Justine, mais il y a en effet des pères très proches de leur fille. Est-ce le même amour porté à la mère et à la fille ? Je ne sais pas. Et vous, face à votre fille, comment vous sentez-vous ?

— Une impression de nullité. De ne pas savoir comment m'y prendre. Vous savez, Justine a pris soin de moi plus souvent qu'à son tour. Je m'en veux. Je crois que les choses sont irréparables.

— Quelles choses ?

— Mes relations interpersonnelles. Je les ai toutes mises à zéro. Lou laisse couler ses larmes. Elle se sent en sécurité avec cette femme docteure. Vous savez, toute ma vie, je me suis débrouillée, seule, et je continuerai à le faire.

— Ici, vous n'êtes pas seule. Nous sommes ici pour vous aider. Vous avez besoin de quelque chose ?

— Je veux sortir d'ici. Juste respirer l'air. Je voudrais sortir, s'il vous plaît.

— Je vais voir ce que je peux faire. Où iriez-vous, si vous pouviez sortir ?

— Chez ma belle-sœur, Élizabeth.

— Reposez-vous bien, je reviendrai demain. D'ici là, je vous laisse des feuilles et du papier. Si vous avez envie d'écrire, ça pourrait vous faire du bien.

— Docteur ? Ça fait trop mal. Il y a eu trop de cassures en un court laps de temps.

Lou regarde les murs froids de la chambre et ne peut s'empêcher de penser à Françoise. Elle lui en veut de ne pas lui avoir avoué son si grand secret. Une amitié, ça se partage. Tout se bouscule dans sa tête, mais ce qu'elle a retenu le plus des paroles de ce docteur c'est qu'elle doit parler si elle veut sortir de cette chambre. Elle prend une grande gorgée d'eau.

— Jamais je ne pourrai lui pardonner. Elle me croyait trop faible pour pouvoir continuer à vivre ?

— Elle ? De qui parlez-vous ?

— De ma meilleure amie, Françoise Dupré. Elle m'a abandonnée. Elle m'a menti. Ma mère m'a abandonnée, ma mère m'a menti. Mon mari m'a abandonnée, mon mari m'a menti. Le seul que j'aurais aimé qui m'abandonne, c'est mon père. Mais il n'a jamais eu assez de couilles pour poser un tel geste. Un malade… Comment garder espoir et continuer à vivre après autant de trahisons ? Je ne pourrai jamais pardonner. Jamais.

— Dire jamais, c'est fermer des portes. Vos blessures sont bel et bien réelles. Prenez le temps de les panser avant de vouloir les guérir complètement.

— Elles sont noires et suintantes, ces blessures. Et le pire, elles sont invisibles.

— Je vous comprends, Alice. Sachez que vous pouvez tout me dire. Je sais que la profondeur de vos blessures semble comme un puits sans fond et il ne me sert à rien, pour l'instant, de vous dire que plusieurs personnes souffrent, tout comme vous.

— J'ai vraiment peur.

Laurie s'approche de Lou. Cette dernière se met en position fœtale. Doucement, Laurie pose sa main sur celle de Lou. Lorsque Laurie sort de la chambre, elle entend sa patiente sangloter.

***

Dave se décide à entrer dans l'hôpital. Lorsqu'il arrive à l'étage, il voit une femme en sarrau blanc sortir de la chambre.

— Bonjour. Est-ce que je peux aller la voir ?

— Vous êtes un ami ?

— Je suis le père de sa fille.

— Allez-y. Si vous voyez que cette visite la perturbe trop, ne restez pas.

— Merci.

En entrant dans la chambre, Dave trouve Alice couchée sur le côté droit, les yeux fermés. Il se rend compte tout à coup de la ressemblance physique entre sa fille et la femme de sa vie.

— Bonjour Alice.

— Qu'est-ce que tu fais ici ?

— Alice, attends, arrête. Tu te fais du mal. Si tu veux que je parte, je partirai.

— Crisse ton camp. Tu n'as pas d'affaires ici.

Dave retourne sur ses pas, estomaqué. Le spectre de la mort a encerclé Alice. Ses yeux délavés, son visage émacié et blême. Il sort de l'ascenseur en bousculant la dame qui se trouve devant lui et reconnaît le docteur qui lui a parlé tantôt.

— Ça ne va pas ?

— Elle ne veut pas me voir. Ses yeux reflètent le vide, pire, la mort. Peut-elle recommencer ?

— Elle a besoin de temps. Tout doit aller à une vitesse incroyable dans sa tête. Cette dispute qu'elle a eue avec son amie l'a mise dans tous ses états. Elle seule peut effectuer son travail de guérison. Elle est sur la bonne voie. Elle aura besoin de faire la part des choses et d'ici là, il faudra être patient.

— Comment l'amadouer ?

— Vous l'aimez ?

— Oui.

— Alors, vous trouverez la bonne façon de faire. Ne brusquez rien. Vous n'êtes pas obligé de lui parler sans cesse. Elle a besoin de support, de soutien et d'amour. Excusez-moi, je dois aller rencontrer d'autres patients.

Dave la regarde passer devant lui. Cette femme inspire la confiance. Il voudrait être aussi optimiste qu'elle. Il voudrait donc que tout ceci ne soit jamais arrivé. Cette histoire de cul, cette baise avec Lou, mais surtout, surtout, ce départ précipité lors du quarantième anniversaire de Lou.

CHAPITRE 22

Une fibre maternelle friable

Le paysage est triste, gris et humide. En sortant du café, les mains dans ses poches, Dave bifurque de sa route et se dirige plutôt vers son ancienne maison. Son ancien nid, celui dans lequel Lou et lui ont passé de bons moments. Cet endroit où ils se sont aimés si passionnément et où est née Justine.

En entrant, il va directement vers la chambre à coucher. Le désordre qui y règne est désarmant. Une odeur de parfum flotte, lui rappelant le hurlement de haine. Ce parfum, pourtant si enivrant sur le corps de Lou, il ne pourra plus en supporter l'odeur. Se tournant vers la droite, il aperçoit la lampe de chevet en mille miettes et les bouteilles vides. Il ferme les yeux et imagine la scène de beuverie qui lui paraît des plus horribles.

Décontenancé, il se retrouve assis sur le lit, la robe de nuit d'Alice entre les mains. Qu'importe s'il se fait mettre à la porte de sa chambre d'hôpital une autre fois, cette fois-ci, il ne se laissera pas impressionner par son regard désemparé.

Il aperçoit quelques feuilles d'un papier jauni et sali. La lettre maudite se retrouve entre ses mains.

Septembre 1978,

Ma belle Alice, ma petite louvve,

...Il était bander comme un cheval, le salaud, juste à l'idée de fourer une jeune fille.

Françoise n'a pas crié, mais ille devè entendre mes pleurs. Lorsqu'il est revenu dans la chambre, il avè le sourire au lèvre, disant qu'il n'y avè aucun péché, puisqu'il ne s'agissè pas de sa fille.

Les mains de Dave tremblent de plus en plus. Il suffoque. Il remet la lettre à l'endroit où il l'a trouvée, sort de la pièce et décide d'aller à l'hôpital.

***

Dave prend une bonne respiration avant d'entrer et dépose les fleurs sur le lit d'Alice, qu'il croit endormie.

Elle se retourne, les joues baignées de larmes. Elle ne peut prononcer un mot. Trop de peine, trop de frustrations, mais surtout trop de peurs brûlent sa gorge.

Dave lui prend la main et ne ressent aucune résistance. Il s'attendait au pire. Il y a toutefois ce regard, ces yeux, si petits, si minuscules d'avoir versé trop de larmes.

— Ma vie est foutue.

Il la prend dans ses bras.

— Tu as besoin de quelque chose ?

— Je veux sortir d'ici Dave. Je n'en peux plus. Je me sens prisonnière.

Dave est décontenancé. Il est habitué aux mots durs et sonores et non à la petite voix suppliante de cette femme écorchée vive. Il ne sait même pas quoi répondre.

— Tu as vu le bouquet de fleurs que je t'ai apporté ?

— Merci. Tu veux me faire sortir ? J'ai demandé à Françoise et elle ne veut pas que je sorte. Nous nous sommes disputées.

— Je ne crois pas que Françoise soit fâchée. Je l'ai vue ce matin, elle a l'air fatiguée, a les traits tirés, mais je ne crois pas qu'elle t'en tient rigueur. J'ai aussi vu Benoît, il te fait dire bonjour.

Et sans plus tarder, elle tourne le dos à Dave. Il le sait, Lou vient de mettre un terme à la discussion.

— Écoute, Alice.

— Je veux dormir.

— Je ne partirai pas avant de t'avoir dit…

Elle remue la tête et lève le bras lui signifiant que la discussion est bel et bien terminée. Il connaît ce signe, c'est celui qu'elle a l'habitude d'employer avant de faire entendre sa secousse sismique. Mais rien ne l'arrêtera. Il veut qu'elle le regarde.

Il contourne le lit, s'accroupit près du lit afin de faire face à son visage.

— Alice, ouvre les yeux. J'ai besoin de te parler. Je sais que je t'ai fait une peine immense, mais je veux que tu saches que j'ai tout essayé, pour toi, pour Justine. Je ne voulais pas te faire de mal. Crois-tu que si je revenais, ça changerait la situation ? Je le ferais pour Justine…

— Pour Justine, mais pas pour moi. Je sais que tu as toujours aimé ta fille plus que moi. Que c'est à cause d'elle si tu es demeuré si longtemps avec moi.

— Je t'ai aimée Alice, mais n'ai jamais pu être à la hauteur.

— Tu m'as toujours méprisée. Tu savais pour Françoise ?

— Je te jure que non.

Elle ferme les yeux et revoit des scènes de cette abominable soirée.

— Et le dernier soir où tu m'as fait l'amour ?

— Je m'excuse. Je n'aurais pas dû. Je ne sais pas ce qui m'a pris ! Je te jure que je regrette.

Elle laisse ses yeux fermés, par peur de laisser couler les larmes. Elle sent le doux baiser de Dave sur sa joue et ouvre les yeux.

— Alice, je t'ai aimée éperdument. Je te jure, bien avant l'arrivée de Justine… Mais il y a eu une faille, une immense faille entre nous deux. Tu aimais trop la bouteille.

— C'était pour compenser la mort de ma mère.

— Mais tu ne m'en as jamais parlé. Tantôt j'ai été à notre maison et...

— NOTRE MAISON ? Qu'as-tu été faire dans ma maison ? Comment se fait-il que tu sois rentré chez moi, sans ma permission ?

Le charme est rompu. Dave met un doigt sur les lèvres sèches de Lou, mais elle le mord.

— J'y suis allé parce que j'en avais besoin. C'est lorsque je suis sorti d'ici, lorsque tu m'as mis à la porte. Calme-toi Alice. Arrête de te faire du mal. J'ai lu la lettre que ta mère…

— Tu n'avais pas le droit, sors d'ici.

— Non, je ne sortirai pas. Arrête de crier, tu es à l'hôpital et tu n'es pas seule.

— Je suis en psychiatrie, un département pour les fous, tu n'as pas remarqué ?

Alice se met à crier de toutes ses forces. L'infirmier arrive près du lit et fait signe à Dave de sortir.

— Okay, je m'en vais. Je crois que pour ce soir, tu en as assez…

— C'est à moi de décider si oui ou non, j'en ai assez ou pas.

— Désolée, madame Alice, mais ce monsieur vous perturbe et je dois lui demander de quitter. L'infirmier invite Dave à partir.

Elle respire plusieurs fois, de façon saccadée.

— Non, ça va, je me calme. Je voulais juste lui faire comprendre qu'il est à l'étage des fous. J'ai besoin de savoir ce qu'il a à me dire.

— Je vous laisse, mais le moindre petit cri et je vais mettre ce monsieur à la porte.

Tous les deux regardent l'infirmier sortir. Dave ne sait pas par quel bout commencer.

— Dave, si tu savais l'enfer que je vis en-dedans. C'est comme s'il n'y avait plus de place en moi pour la beauté. Celle d'un sourire, d'un geste tendre. J'ai peur de moi, peur de mourir.

Dave lui caresse les cheveux. Elle pleure.

— Même ces gestes me font peur. J'ai perdu toutes mes balises. D'ailleurs, je ne sais même plus ce qu'elles sont devenues.

Il aurait envie de lui dire combien sa famille était malsaine. Que Françoise ne méritait pas un tel traitement. Il aurait envie de lui crier qu'il comprend mieux, maintenant, sa très vive colère. Qu'il a tout entendu de la conversation entre Françoise et elle. Mais, n'ose pas trop en dire. Et Justine, il aimerait savoir comment la protéger et briser ce cercle vicieux.

— Je suis là.

— Si tu as lu la lettre, tu sais de quoi il retourne.

— Je le sais.

— J'ignorais tout, jusqu'à ce soir fatidique. L'histoire de mon père et de Françoise, je ne la connaissais pas. C'est à la suite de cet acte que ma mère s'est suicidée. Et probablement suite à cet acte, que Françoise a attenté à sa vie. Moi, c'est suite à la lecture de cette lettre que j'ai manqué mon suicide. Trois vies complètement gâchées.

Elle ne peut faire autrement que de fixer Dave, sans ajouter un seul mot. Puis, elle ferme les yeux, exténuée, criblée de doutes et de questionnements. Dave lui donne un baiser sur la main. Elle s'assoit droite sur son lit et dévisage Dave.

— Mais je veux te dire une chose. Si tout ça est arrivé, Dave… Qu'importe la raison pour laquelle ce soir-là tu m'as fait l'amour. J'ai cru en toi et tu m'as trahie.

— Lou, comment pourrais-je remplir ce vide qui nous sépare ? Dis-moi ce que tu attends de moi.

Elle n'ouvre ni les yeux, ni les lèvres.

— Il faudrait peut-être que tu fasses un effort pour te sortir d'ici, Lou. Il y a ta fille, tu l'as oubliée ?

— Tu crois que je l'ignore ? Justine ne me mérite pas. Tu ne t'aperçois donc pas que je suis devenue un fardeau ? Tu ne t'es jamais aperçu que mon air, je le prenais à même tes paroles, dans tes actes ?

Elle le toise du regard et n'essuie pas ses larmes.

— Je ne me suis jamais sentie à la hauteur. Justine n'a pas la mère parfaite. Encore moins ces derniers jours. Je n'ai jamais possédé ta délicatesse, ton écoute. J'ai beaucoup plus l'impression d'être un fardeau.

— Tu aimes Justine ?

— J'aime Justine, mais je crois que je ne l'aime pas de la bonne façon. Justine pourrait être mieux avec une autre mère.

— Ne sois pas ridicule.

— Il y a longtemps que je sais que ma fibre maternelle est friable. Depuis le début, je me sens gauche avec Justine. Comme avec toi, d'ailleurs.

— Alice, tu es la femme de ma vie. J'ai voulu te faire réagir. Oui, j'ai rencontré une femme, mais ce n'était qu'une petite aventure de rien. Comme tu en as déjà eues.

— On se fait souffrir l'un et l'autre. Moi, dès l'instant où je t'ai vu, j'ai su que tu serais l'homme de ma vie. Quel drôle d'amour. L'amour-souffrance. On s'aime et on va voir ailleurs.

— Moi, c'était pour te faire réagir. Ça, j'en suis conscient.

— Mais, Dave, ce qui s'est passé change la donne. La lettre, Françoise. Si tu savais toute la colère que je ressens. Je ne pourrai jamais retrouver la confiance en personne.

Dave ne sait pas quoi ajouter. Il constate que Lou est très lasse tout à coup et il ne veut pas la fatiguer davantage.

— Repose-toi, je reviendrai demain, Alice.

— À quoi bon, Dave ?

Instantanément, le changement dans la posture de Lou s'installe.

— Tu es une battante, Lou.

— Je ne crois pas qu'attenter à ses jours fasse partie de la définition de battante.

— Quoi, tu vas te laisser mourir dans ce lit ?

— Je ne sais pas ce que je veux, Dave.

— Je vais t'aider. Justine, Benoît, Élizabeth, Françoise, tout le monde va pouvoir te tendre la main.

— Je ressens quelque chose de très négatif face à Françoise.

— Elle a beaucoup de peine.

— S'il te plaît, prends-moi dans tes bras.

Dave la berce jusqu'à ce qu'elle s'endorme. Il sort de la chambre, complètement désarçonné.

Il revient sur ses pas.

Il se penche à nouveau vers Alice et l'embrasse. Cette dernière ouvre les yeux, lui passe les mains autour du cou et presse plus fortement ses lèvres contre celles de l'homme qu'elle aime plus que tout.

— Je t'aime, Alice. Si tu veux me parler, tu connais mon numéro de téléphone. Je dirai à Justine que tu ne te sens pas trop bien. Je ne veux pas qu'elle souffre plus qu'en ce moment.

— Tu l'as toujours aimée plus que moi.

— Alice, notre fille fait partie de ma vie tout comme toi tu en fais partie. Je ne peux vous dissocier l'une de l'autre.

— Dave, j'ai peur.

— J'ai peur aussi, Lou. Peur de l'avenir, de celui de Justine, mais quoi qu'il en soit, soit certaine que tu pourras toujours compter sur moi. Je te le promets.

— Ne me fais pas de promesses, Dave. Surtout, ne me fais pas de promesses.

— Dors, maintenant.

Elle le regarde sortir. Ce qu'elle n'a pas ajouté c'est qu'une peur bleue la prend à l'idée de s'imaginer à l'extérieur de ces murs. Elle se sent lasse, n'a plus envie de résister. Pourquoi est-elle retenue sur cette terre ? Elle a peur de la vie.

***

Lou tourne dans son lit puis se rendort pour se réveiller peu de temps après, en sueurs. Lors de ses nombreux réveils, elle croit apercevoir l'aigle de son rêve, ailes et bec grands ouverts, prêt à foncer sur elle et à la dévorer. À plusieurs reprises, afin de croire en la réalité de la nuit, elle doit s'asseoir sur son lit.

— Jamais je ne pourrai me défaire de cette image, de cette histoire et vivre normalement.

Elle referme pour la quatrième fois la lampe de chevet. Justine, sauve-toi de moi. Tu dois, pour te protéger, briser le cercle.

CHAPITRE 23

La mort côtoie la vie

Au petit matin, Françoise se sent abattue. Elle s'interdit de penser à la scène dans la chambre de Lou.

— Déjà réveillée ? À quoi penses-tu ?

— J'essaie de ne penser à rien. En même temps, Justine me préoccupe. Est-ce qu'elle a été aimée de la bonne façon ?

— Lou est particulière, égoïste, centrée sur ses propres besoins, mais penser qu'elle peut ne pas aimer sa fille !

— Je n'ai pas dit qu'elle ne l'aime pas, mais qu'elle l'aime mal.

— On ne peut pas dire ça, puisque nous n'avons pas eu d'enfant.

— Arrête de me remettre ça sous le nez.

Benoît passe outre au commentaire.

— Qu'est-ce qui t'inquiète ?

— Je ne suis pas inquiète, mais je trouve la vie étrange. J'aurais aimé avoir une fille comme Justine. Nous n'avons pas pu avoir d'enfant.

— Ça te fait encore mal lorsque tu y penses ?

— C'est toute ma féminité. Je dis féminité et je ne sais même pas si c'est le bon terme. Ça te manque, toi, Benoît ?

— Plus maintenant. J'en vois de toutes les couleurs, Françoise.

— Oui, mais si… et puis à quoi bon ! On ne peut changer le passé. Mais je me suis toujours demandé pourquoi on ne pouvait pas avoir d'enfant.

— Peut-être est-ce mieux ainsi ?

— On pourrait aller passer d'autres tests ?

— Françoise, on a subi toute la batterie de tests.

— Oui, mais ils n'ont rien trouvé.

— Tu veux qu'on essaie ce matin, tout à coup…

— Benoît, je n'ai pas tellement la tête à faire l'amour. Cette tête, je la ressens comme une locomotive qui fonce droit devant à 150 km/h et qui n'a plus de freins pour arrêter. Mes idées s'emballent et j'ai de la difficulté à faire la part des choses.

Benoît la prend dans ses bras. Elle se laisse bercer. C'est lui qui essuie les larmes sur ce visage ravagé.

— Chérie, il faut que tu manges, je vais préparer un petit déjeuner que nous pourrons manger au lit. Une petite journée sous la couette, ça te tente ?

Françoise réfléchit à voix haute. Elle tente de s'expliquer l'inexplicable. Les peurs, les angoisses, elle les sait toutes irrationnelles, mais elle ne peut s'empêcher de ressentir cette trouille. Lorsqu'elle pense à sa propre jeunesse… Sa propre mère n'a jamais pu la rassurer. Et que dire de son père ? Seule sa petite personne comptait. Jamais de bons mots, ni pour sa mère, ni pour sa sœur et encore moins pour elle. Ce n'est pas ça le rôle de parent. Aurait-elle fait mieux ?

***

Malgré les recommandations de son père, Justine se retrouve devant le lit de sa mère. Cette dernière serre un ourson entre ses mains. Le même que Françoise lui a offert. Lou a les yeux fermés, son souffle est lent. Lorsque la jeune fille se retourne pour sortir de la chambre, Lou ouvre les yeux.

— Bonjour ma puce. Approche.

Justine se penche sur Lou, lui enlève une mèche de cheveux devant les yeux.

— Tu te sens bien, maman ?

— Je me sens effroyablement mal. Mais personne ne veut l'entendre.

— Écoute maman, je veux que tu saches que quoi qu'il te soit arrivé, je t'aime. Hier, lorsque Françoise et toi…

Le corps d'Alice est parcouru d'un frisson.

— Qu'est-ce que tu as entendu ?

— Tout. Papa et moi étions sur le pas de la porte et n'osions pas bouger.

Lou ne sait pas quoi penser. Dave et sa fille sont au courant.

— Qu'as-tu entendu ?

— Françoise, ton père, ta mère.

Les sueurs lui coulent dans le dos. Ça ne finira donc jamais.

— Justine, il va falloir que tu apprennes que la vie…

— Maman ! Non, arrête de me parler de la vie et de toutes ses horreurs. Arrête de me dire constamment que je suis assez vieille pour tout comprendre. Je veux une vie normale.

— Tout le monde veut une vie normale, Justine. Sauf qu'il y a des gens qui ne peuvent en vivre une. Je fais partie de cette catégorie.

— Secoue-toi. Je suis là ! Je suis ta fille. Réagis ! Que te faut-il de plus ?

— Justine, le mal que je ressens est plus grand que tout. Tout est noir, tu comprends ? Il n'y a plus aucune lumière, aucune lueur qui scintille à l'horizon. Je me dis que je suis de trop sur cette terre. Je sais que tu es là. Je sais que toute cette vie, tu la vois autrement. Dans tes yeux, tout rayonne ; dans les miens, tout est assombri.

— Maman, ne m'abandonne pas, s'il te plaît !

Entrelacées, les larmes de Justine et Lou se mêlent sur leurs visages. Lou voudrait lui affirmer que grâce à elle, sa vie est plus belle, mais elle ne peut lui mentir. Tout est devenu trop pesant. Commettre cette tentative de suicide est pour Lou, non plus un appel à l'aide, mais une force pour passer à l'acte qui la tenaillait depuis sa plus tendre enfance. Une force que personne d'autre qu'elle ne peut expliquer. Elle ne veut plus ternir la vie de personne. Ni celle de Dave, ni celle de Françoise, ni celle d'Élizabeth. Et plus jamais celle de Justine.

— Je ne suis pas une bonne mère.

— Tu es ma mère, maman. Laisse-moi dire si oui ou non tu es une bonne mère.

— Justine, tu es déjà une femme, à treize ans. Ce n'est pas normal. Tu sais tout faire, tout accomplir avec brio. Tu parles de façon si réfléchie.

— C'est grâce à toi, maman.

Lou essuie les yeux de sa fille. Elle l'enlace tendrement. Elle voudrait que toute sa noirceur intérieure disparaisse grâce à ce contact. Cette chaleur mère-fille, elle ne l'a jamais éprouvée. Françoise aurait fait une meilleure mère.

— Maman, promets-moi de revenir à la vie. Promets-le-moi maman !

— Il y a longtemps que je ne promets plus rien. Tu sais, la souffrance est immense. Je te l'ai dit, je te le répète. Il faudra beaucoup de temps et d'énergie pour remonter à la surface. Beaucoup.

— Demande de l'aide. Je suis certaine que Françoise et Élizabeth pourront t'aider.

Si tu as tout entendu, tu dois savoir qu'elle n'avait pas le droit de tout me cacher. C'était mes parents. Tu comprends ? Elle a fait celle qui était au-dessus de tout, celle pour qui tout allait si bien. Elle avait pourtant l'air si heureuse et elle portait cette blessure en elle. Je n'ai pas envie de discuter de ça avec toi. Je suis exténuée, Justine. Tu peux me laisser, s'il te plaît ?

— Avec qui as-tu envie de discuter ? Je ne veux pas que votre amitié soit brisée.

— Je pense qu'il est trop tard, Françoise m'a trahie.

— Non, elle t'a protégée. Elle essaie de protéger tout le monde. Tu le sais. S'il y a une personne qui la connaît, c'est toi. Rappelle-toi…

— Françoise la parfaite. Je ne suis même pas sûre qu'elle ait envie de me revoir. J'ai besoin de dormir, Justine. Merci pour ta visite.

— Maman, moi je t'aime, je vais prendre soin de toi. Je vais te faire couler des bains chauds, remplir tes verres vides, te border. Ça ne me dérange pas maman. Je t'aime.

— Je suis fatiguée, Justine.

En sortant de la chambre, la puce est bouleversée. Elle se dirige chez Françoise et Benoît. Elle doit tout faire pour recoller les pots cassés.

Ces derniers l'accueillent les bras ouverts. Justine parle, ils l'écoutent. Elle pleure, ils la consolent.

— Tu voudrais, Françoise, redevenir amie avec maman ?

Françoise la prend dans ses bras.

— Ça te dirait d'aller faire un tour chez Élizabeth ? Nous pourrions y passer la nuit.

— On laisserait maman toute seule ?

— Dave est là. Je sais que ça s'est bien passé lors de sa dernière visite. Il m'a tenue au courant.

— Moi, je prendrai soin de ton père. Ne t'en mets pas plus sur les épaules, Justine. Je pense que cette petite escapade te fera du bien. Allez-y toutes les deux.

— Merci Benoît. Promets-moi, s'il te plaît, de ne pas laisser tomber papa. Je ne sais pas quoi lui dire, je ne peux pas le consoler.

— Ton père, Justine, t'aime plus que tout. Tout comme il aime Alice. Ne l'oublie jamais. Viens, je t'accompagne pour aller chercher tes effets personnels.

***

Dave est seul, assis au salon. Il trouve excellente l'idée de cette promenade chez sa sœur.

— Justine, je veux que tu saches que j'ai besoin de toi et de ta mère.

— Je sais papa.

***

Arrivées à la maison d'Élizabeth, Justine et Françoise trouvent cette note sur la table de la cuisine.

J'ai dû quitter la maison. Un beau bébé est né cette nuit, à 2 h 30. Une belle fille de 3,4 kilos. Un vrai trésor. Suis partie passer l'après-midi chez les nouveaux parents. Je serai de retour bientôt.

Élizabeth, celle qui fait le plus beau métier du monde. XXX

— Élizabeth aide à mettre la vie sur terre. Maman a voulu se l'enlever. Y'a des jours, Françoise, où je ne comprends plus rien.

— Si ça peut te consoler ma puce, dis-toi que tu n'es pas la seule dans cette situation.

***

Lorsqu'elles se retrouvent toutes les trois, Élizabeth et Françoise sentent le désespoir de Justine. Elles tentent tant bien que mal de faire comprendre à Justine qu'elle n'y est pour rien dans le mal-être de sa mère. Élizabeth lui suggère de rester quelques temps à la campagne, histoire de la protéger un peu de cette turbulence. Justine accepte et se dirige vers une des chambres d'invités.

— Élizabeth, tu es au courant de la scène qui s'est produite à l'hôpital ?

— Dave m'a téléphoné dès son retour de l'hôpital. Il m'en a parlé et m'a également demandé des conseils sur la façon de se comporter avec Justine. Et toi, comment te sens-tu ?

— Comme un vieux sac d'ordures qui se trimbale de gauche à droite. Une minute je suis en colère, l'instant d'après je suis triste et tout à coup, je casserais la gueule à tous ceux qui se mettent sur ma route. Finalement, je ne me sens pas bien.

— Pense à toi, pour l'instant c'est ça qui compte.

— Le pire c'est cette façon dont Lou m'a traitée. J'ai l'impression qu'elle ne comprend pas que le fait de garder ce secret n'était en fait qu'une façon de me protéger.

— Tu lui as dit ?

— Non. J'étais tellement sonnée qu'après l'affrontement j'ai cru mes dernières heures arrivées. Pour la première fois, j'ai ressenti la force de l'amitié et toute la haine qu'elle pouvait inspirer d'un même souffle.

— Le choc est dur à encaisser. Je comprends mieux certains comportements de Lou, maintenant. Elle a dû se construire une énorme carapace pour faire face à tant de violence.

— Une famille complètement dysfonctionnelle. Il lui en a fallu du courage et de la force pour se rendre là où elle est.

— Et tu sais, Françoise, je crois que c'est grâce à toi que Lou s'est forgé cette personnalité. Toi, Benoît, Dave. C'est vous sa famille et ce, depuis bien longtemps.

— Oui. Elle m'a tellement aidée aussi. Tu sais comment je considère cette fille. Elle est comme une sœur. Plus qu'une sœur.

— Je sais, Françoise. Profite de la campagne pour te reposer.

— Merci Élizabeth de vouloir prendre soin de Justine. Je n'en ai pas la force.

— Je comprends et ne t'inquiète pas pour Justine. Tu sais combien je l'aime.

— Je sais. Je monte dans la chambre. Je veux partir tôt demain matin.

— Bonne nuit, Françoise.

Les deux femmes s'enlacent. Élizabeth trouve que les personnes qui l'entourent souffrent beaucoup en ce moment.

***

Françoise, au petit matin, descend sans faire de bruit. Elle part en laissant un mot de remerciement. Elle se sent envahie d'une paix. Le silence de la nuit lui a fait un grand bien.

CHAPITRE 24

Espoir et peurs

Sur le chemin du retour, Françoise prend de plus en plus conscience de sa propre lourdeur. Elle se demande si elle a bien fait d'avoir gardé pour elle ce si lourd secret. Elle essuie ses larmes et se sent lasse.

Revenue à la maison, elle se retrouve seule. Benoît lui a laissé un mot, l'avisant d'une urgence au bureau.

Françoise appelle à son travail et demande à sa secrétaire de faire annuler tous ses rendez-vous de la semaine. Elle veut reprendre des forces.

En raccrochant le combiné, la sonnerie du téléphone se fait entendre.

Le souffle court, elle ne prend que quelques minutes pour se préparer. Ainsi, elle s'empresse, à la demande de Lou, d'aller rejoindre cette dernière dans sa chambre d'hôpital.

***

Françoise retrouve Lou, assise. Le regard de cette dernière est vide et vif à la fois.

— Ma fille et Dave ont tout entendu de notre conversation, hier.

— Oui, Lou. Et Benoît y était également.

— C'était ton idée ?

— J'ignorais qu'ils y étaient, je te jure que je l'ignorais.

Les deux femmes laissent le silence prendre toute la place. Ce n'est pas la première fois que le temps s'étire ainsi entre les deux, un temps muet, mais cette fois-ci il y a une large différence. Elles ne veulent, ni l'une ni l'autre montrer leur vulnérabilité.

— Justine et moi avons passé la soirée chez Élizabeth.

— J'ai toujours su que tu ferais une meilleure mère que moi. Élizabeth aussi. Justine pourrait très bien remplacer l'enfant qu'elle a perdu.

— Arrête de te faire du mal. Tu ne trouves pas qu'il serait temps…

— Françoise, j'ai honte de ce que mon père t'a fait subir. Je suis fâchée contre lui, mais contre toi aussi.

— Je ne pouvais pas, Alice, tout te raconter. C'était comme si je devais revivre ce viol. Je ne le pouvais pas. Je n'en ai même jamais parlé à Benoît. C'était au-dessus de mes forces.

Les deux femmes se regardent. Françoise baisse les yeux.

— Je connais cette honte, Lou. Je l'ai traînée si longtemps. Tu es au courant du nombre d'années que j'ai dû passer en thérapie et c'est ce qui m'a sauvée. Toute cette histoire fait remonter en moi cette souffrance. Je n'aurais jamais cru que le mal était encore si présent. Qu'attends-tu de moi ?

— Je ne sais pas Françoise, je ne le sais vraiment pas. Ce que je sais c'est qu'une grande déchirure me traverse le corps.

À cet instant, Laurie Dussault entre dans la chambre.

— Excusez-moi…

— Je vous laisse. Lou, à bientôt.

— Françoise, vous n'êtes pas obligée de partir, je reviendrai dans quelques minutes.

— Je dois partir.

Lou regarde Françoise sortir. Les yeux remplis de larmes elle s'en veut de faire du mal à sa grande amie.

— Comment pourra-t-elle me pardonner? Comment est-ce que je pourrai lui pardonner?

— Prenez votre temps. S'il est difficile pour vous de parler, vous pourriez écrire une lettre à Françoise et à toutes les personnes qui pour vous sont importantes et avec lesquelles vous aimeriez partager votre souffrance.

— Françoise ne m'a jamais fait souffrir.

— Vous savez que c'est moi qui me suis occupée de votre amie Françoise, il y a dix ans?

— Oui.

— Elle vous a protégée…

— Non, elle m'a menti…

— Vous pouvez le voir de cette façon, c'est votre choix. Mais sachez que si je vous affirme qu'elle a gardé le silence pour vous protéger, c'est pour que vous puissiez comprendre que parfois on ne s'attarde qu'à une seule facette des choses… alors que la plupart du temps, il y en a plusieurs.

— Et je dois tout pardonner, comme ça, du jour au lendemain? Je ne peux pas me permettre d'haïr, de ne plus vouloir voir quelqu'un?

— Et vous allez rejeter ainsi tous les gens que vous avez connus ?

— S'il le faut, pourquoi pas ?

— Vous allez trouver la route longue et pénible, Alice.

— Je la trouve, depuis longtemps, longue et pénible.

— Dites-moi, Lou. Vous permettez que je vous appelle Lou ? Qu'attendez-vous de la vie ?

— Qu'elle se termine une fois pour toutes !

— Plus d'espoir ?

— L'espoir pour qui ? Pour quoi ? L'espoir avec les beaux petits oiseaux et le soleil ?

— Et votre fille, Justine ?

— Tout le monde s'en fait pour Justine. Elle a la cuirasse de son père et de sa tante Élizabeth. Je pourrai sortir bientôt ?

— Écoutez Lou, je ne sais pas quoi penser ou faire. Je tiens à vous. Ne riez pas. Pour moi, la vie revêt quelque chose de sacré, de beau.

— Vous devez avoir été élevée dans la ouate.

— C'est bien là que vous vous trompez. Sachez, Lou, que chaque être humain porte en lui une souffrance, une blessure et que chaque être humain, quel qu'il soit, a droit à la vie. Jamais je n'ai laissé tomber un patient et toujours j'ai cru en lui. Parce que je vois encore une lueur, si minime soit-elle, dans votre regard.

Lou regarde cette femme qui lui tient les mains. Une chaleur intense lui traverse le cœur. Lou se met à pleurer. Laurie la prend dans ses bras.

— Pleurez, jeune femme. Ces larmes ont le pouvoir de nettoyer vos douleurs et de laisser plus de place à la lumière. Reposez-vous maintenant. Pour ce qui est d'une petite sortie à l'extérieur de ces murs, sachez que je vous en donnerai des nouvelles d'ici quelques jours. Laissez-moi réfléchir. Je comprends votre fragilité et je m'en voudrais de bousculer les événements.

— Vous croyez qu'un jour, je pourrai pardonner à Françoise ?

— Je pense qu'un jour, vous pourrez vous pardonner et ainsi pardonner aux êtres qui ne veulent que votre bien.

— Je ne pardonnerai jamais à mon père.

— Je vous crois, Lou. Et c'est parfait ainsi.

— Docteur, vous croyez à la force de la prière ?

— Je crois en la foi. La foi et la force de la vie, tout comme celle de la prière. Tous les soirs, je prie pour chacune des personnes qui se trouvent ici, entre ces murs. Et tous les soirs, je demande à Dieu de m'aider à vous soulager de vos blessures.

— Merci, docteur. Je sais maintenant pourquoi Françoise vous a tant aimée.

En sortant de la chambre, Laurie fera des pieds et des mains pour laisser sortir Lou, ne serait-ce que pour quelques heures, afin de redonner espoir à cette femme. Même si elle est sous médication, Laurie sait que Lou s'en sortira haut la main. La petite étincelle lumineuse, malgré sa grande souffrance, elle l'a vue briller dans le regard de Lou au contact de Françoise. Et surtout, surtout, lorsqu'elle prononce le prénom de sa fille.

CHAPITRE 25

Regain de vie

Lorsqu'Élizabeth entre dans sa maison, elle regarde Justine, étendue devant la télévision, une couverture sur les épaules. En retrait, elle examine la fille d'Alice. Lorsque Justine l'aperçoit, elle commence à pleurer. Élizabeth la prend dans ses bras et attend que la puce soit prête à parler.

— Je me sens mal. J'ai appelé trois fois à l'hôpital et maman n'a pas répondu.

Elle reprend son souffle. Elle aurait envie de crier sa haine, mais tout reste contenu dans sa gorge.

— Puis, j'ai appelé papa, il n'est pas là.

— Tut, tut, tut, ma chouette. Je suis là. Tu n'es pas seule, Justine. Tu peux rester ici tout le temps que tu veux. Tu sais que ma porte t'est grande ouverte. Invite ton amie Rose, si le cœur t'en dit.

— Oui, mais mes parents.

— Ils sont là eux aussi, blessés, mais je suis convaincue qu'ils te portent dans leur cœur.

Justine se sent tout à coup soulagée d'avoir un endroit où se réfugier. Et ce, même si elle est éloignée des grands centres. De toute façon, elle n'aurait pas la force, ni l'envie de sortir avec ses amis. Sa tête, pour l'instant, n'est remplie que d'images et de propos négatifs. Pour se changer les idées, elle se décide à appeler Rose.

— Justement, Justine, j'allais t'appeler. Ma mère et mon père t'invitent à venir passer les trois prochaines semaines au chalet qu'ils ont loué sur le bord du fleuve.

— Je ne sais pas. Vous partez quand ?

— Dans deux jours. Allez, viens, sinon je vais m'ennuyer à mort avec mes deux frères.

— Je dois en parler à mon père et ma mère.

— Comment elle va, ta mère ?

— Beaucoup mieux. Je t'appellerai d'ici demain, ça te va ?

— Oui, j'attends ton appel.

En raccrochant, Justine parle de l'offre à Élizabeth. Cette dernière insiste pour que sa nièce parte en vacances.

— Ça te fera du bien, Justine. Vas-y.

— Mais je dois en parler à maman et à papa ! Je tente à nouveau d'appeler maman.

À la cinquième sonnerie, Justine entend la voix de sa mère.

— C'est moi, maman. Comment vas-tu ?

— Ça va bien Justine, je me sens un peu mieux. Françoise est venue me voir. Tu avais raison. Je ne peux pas abandonner tout le monde.

— Maman, je suis contente. Est-ce que ça te dérangerait si je partais pour trois semaines ?

— Tu pars avec Élizabeth ?

— Non, Rose m'a invitée. Ses parents ont loué un chalet sur le bord du fleuve. J'hésite. J'ai peur de m'ennuyer.

— Vas-y ma puce, ça te fera du bien.

— Vraiment ?

— Oui, et puis de toute façon, tu pourras m'appeler quand tu voudras. Tu en as parlé à ton père ?

— Pas encore. Je l'ai appelé tantôt et il n'y était pas.

— Allez ma chouette, je dois te laisser. Tu passeras me voir avant de partir.

— Oui, maman, promis.

— Tu veux me passer Élizabeth ? … Salut, c'est moi.

— Tu prends soin de toi, Lou ?

— J'essaie tant bien que mal. Je constate plein de choses, étendue dans ce lit. Ici, je n'ai pas besoin d'un remontant pour passer mes journées, mais surtout, je me rends compte que j'ai toujours été bien entourée. Ça m'a pris ça pour m'en apercevoir. Tout n'est pas tout à fait noir. Je te remercie Élizabeth de t'occuper de Justine.

— Tout le plaisir est pour moi. Je passerai jeudi avec Justine. Elle doit se préparer, elle part vendredi matin. Je passerai te voir avec la puce avant de partir. Je t'embrasse.

Lou raccroche, la voix nouée par l'émotion.

— J'ai l'impression de renaître. Qu'est-ce qui se passe tout à coup ?

Elle reprend son papier et son crayon et continue à écrire la lettre qu'elle veut faire parvenir à chaque personne importante de sa vie.

***

Lorsque Dave entre dans la chambre, il aperçoit Lou penchée sur des feuilles. Il toussote pour ne pas la faire sursauter.

— Salut Dave. Tu as parlé avec Justine ?

— Oui, elle partira vendredi. Je crois que ça lui fera du bien.

— Je le crois aussi.

— Tu écris ?

— Oui. Ça me fait du bien. Elle s'empresse de tout ranger dans son tiroir.

— Aimes-tu mieux que je revienne plus tard ?

— Non, Dave. Je pensais justement à toi. Combien de fois m'as-tu trompée ? Je sais que pour toi ce n'est qu'une simple petite infidélité sans importance, mais pas pour moi.

— Lou, je vais te dire la vérité. J'ai eu une liaison avec une femme, une seule depuis que je te connais.

— Est-ce que je l'ai déjà rencontrée ?

— Je ne le crois pas.

— Pourquoi as-tu fait ça ? Pour me punir ? Pour me faire comprendre que je ne vaux pas la peine d'être aimée ? Tu sais, cette femme docteur m'a parlé et cette chaleur humaine, je ne l'ai pas souvent rencontrée dans ma vie. Tu l'as déjà eue pour moi, Dave. Alors pourquoi ?

— Peut-être pour me prouver que je pouvais, moi aussi, te faire de la peine.

— Tu as réussi ton coup.

— Tu sais Lou, la toute première fois que l'on s'est rencontrés, ç'a été le coup de foudre.

— Ça c'est gâché par la suite.

— Nous avons dû, comme tous les autres couples, faire face à certaines réalités. Puis Justine est arrivée.

Lou retient ses pleurs. Dave lui prend la main, puis lui passe la main sur le visage.

— Trop de gens mentent, Dave.

— Écoute Alice, la femme avec laquelle j'ai eu une aventure, et je te jure que c'est la première fois que ça m'arrivait, ne revêt aucune importance pour moi. Je voulais juste savoir.

— Tu as eu besoin d'une histoire de cul pour savoir quoi ?

— Si je t'aime encore. Et justement, cette aventure m'a confirmé que tu es encore la femme de ma vie.

— Mais l'autre soir tu es parti.

— Je ne veux plus être blessé, Alice. Je crois, sincèrement, que j'ai tout fait pour te rendre heureuse.

Lou le regarde. Elle sent cet homme sincère. Le père de sa fille, son amant, son ami, son amoureux. Elle se penche vers lui pour l'embrasser.

— Je n'ai jamais voulu te faire de peine, Dave. Tout ce que je faisais ou disais, c'était pour me défendre.

— Je constate que ta vie n'a pas été de tout repos. Nous aurions peut-être dû en parler.

Lou regarde par la fenêtre. Des souvenirs douloureux lui reviennent. Et lorsque tout refaisait surface, seul le gin lui redonnait espoir. Elle avait besoin de noyer ces souffrances afin de pouvoir tenir le coup.

— Il aurait fallu que j'arrête de boire, mais d'un autre côté, c'était le moyen le plus facile de me protéger. Lorsque ma mère s'est suicidée, ç'a été la chose la plus terrible que j'ai pu vivre. Pourquoi n'avais-je pas été capable de la sauver ?

Elle se tait. Fixe Dave.

Tous les deux pensent à leur fille.

— Il faut vraiment passer par là pour comprendre cette souffrance. Elle encrasse tout. Les pensées, les gestes. Tout ce qui devrait être rationnel devient irrationnel. Dave, j'ai voulu mourir pour vous permettre de continuer. Je me sentais comme un boulet. J'étais dans un puits sans fond, où juste la noirceur devient ta toile de fond.

Dave la regarde. Comme cette femme semble tout à coup fragile.

— Je crois encore, à cet instant même, que je ne pourrai jamais être à la hauteur de ta sœur, de Françoise, de vous tous.

— Personne ne te demande de te dépasser. Tu n'as qu'à être toi-même.

— Je sais, mais c'est plus fort. Je me sens toujours en compétition. Je suis exténuée. Dave, j'ai envie de dormir. Je me demande si un jour je reprendrai des forces.

— Oui, tu en reprendras. Déjà, tu sembles aller beaucoup mieux. Tu as remarqué le timbre de ta voix ? Il est redevenu normal. Je te laisse ma chérie. Je reviendrai.

— Comment va Françoise ?

— Elle est mal en point, pleure beaucoup.

— Dis-lui… non, laisse tomber.

Lorsque Dave se retrouve dans le corridor, Lou éclate en sanglots. Elle a fait bien du mal autour d'elle. Elle veut recoller les morceaux, mais se trouve démunie. Elle devra prendre toute l'aide qui lui est proposée. Et elle aura besoin d'une immense humilité.

À sa sortie de l'hôpital, Dave se dirige chez Françoise et Benoît. Il regagne l'espoir de retrouver la femme de sa vie.

CHAPITRE 26

Un grand signe de confiance

Lorsqu'Élizabeth et Justine entrent dans la chambre de Lou, cette dernière, crayon à la main, a les yeux fermés et laisse couler quelques larmes. Justine s'approche tranquillement et pose un bisou sur la tête de sa mère.

— Ça va maman ?

— Ça va ma grande. Tu as fini tes préparatifs ?

— Oui. Ça ne te dérange pas que je parte ?

— Profite de ce beau moment. Tu te souviens, Élizabeth, lorsque nous sommes parties, Françoise, toi et moi sur le bord du lac Pohénégamook ? Tes parents avaient loué un chalet. Quel âge avions-nous ? Et ton frère, que l'on trouvait fatigant, était toujours collé sur nous.

— Je m'en souviens très bien. Nous passions nos journées à la plage municipale, à rire comme des folles, à nager et à faire tourner la tête des gars.

— Papa était avec vous ?

— Ton père nous suivait partout.

— C'est là que tu as commencé à sortir avec lui ?

— Pas du tout. C'est une autre histoire. Ce que je veux te dire, Justine, c'est de profiter de ce beau moment avec Rose. Amuse-toi. Ne t'inquiète pas pour moi. Je vais beaucoup mieux.

— Merci, maman. Je dois prendre l'autobus, Rose et moi nous nous sommes donné rendez-vous. Je veux m'acheter un nouveau maillot de bain.

— Je vais aller te reconduire, Justine.

— Non, reste un peu avec maman. Tu n'as pas eu l'occasion de la voir souvent. Je t'aime maman. Merci Élizabeth.

Les deux femmes regardent sortir cette jeune fille qui semble plus épanouie.

— Tu lui manques beaucoup, tu sais.

— Je sais, Élizabeth.

Laurie Dussault entre dans la chambre. Lou lui présente Élizabeth.

— Lou, j'ai une bonne nouvelle. Si vous le voulez bien, je vais vous trouver un endroit où vous pourrez aller passer la fin de semaine.

— Cette fin de semaine ci ? Mais dans quelle maison ?

— Il est bien certain que je ne vous laisserai pas partir seule, chez vous. Je connais deux ou trois endroits…

— Excusez-moi, est-ce que je pourrais vous parler docteur Dussault ?

— Pourquoi, Élizabeth ?

— Que dirais-tu, Lou, de venir passer quelques jours à la maison ?

— Au Lac Mégantic ?

— Oui.

— Écoutez, docteur Dussault, je connais très bien Alice. Je suis infirmière diplômée. J'ai travaillé en psychiatrie, j'ai aussi travaillé en Afrique et depuis plusieurs années, je suis sage-femme. Soyez certaine d'une chose, si je ne me sentais pas la capacité de prendre Alice sous mon aile, je ne vous en parlerais même pas.

Laurie a l'œil pour déceler ceux et celles qui ont la vocation « d'aidants naturels ».

— Et vous, madame Breton, qu'en dites-vous ?

— Je pourrai continuer à prendre ma médication ?

— Ne vous inquiétez pas, tout sera prêt pour votre départ.

— Je partirais quand ?

— Demain.

— Ça ne te fait pas peur, Élizabeth ?

— Peur de quoi, Lou ? Au contraire, ça me fera plaisir. Et qui sait, peut-être que Françoise pourrait venir nous rejoindre.

Lou sent son cœur battre. Demain, elle pourra enfin respirer l'air extérieur.

— D'accord. Tu aviseras Dave ?

— Tu veux qu'il vienne aussi ?

— Je préférerais que l'on soit seules toutes les deux.

— Comme tu veux ma belle.

— Alors, je vous laisse. Madame, ça m'a fait plaisir de vous rencontrer. Je suis certaine que madame Breton sera entre bonnes mains. Je signerai le congé pour trois jours, ça vous va ?

— Trois jours, ce n'est pas beaucoup.

— Ce n'est qu'un début, madame Breton. La prochaine fois, on verra.

— Merci, docteur Dussault.

Cette dernière se tourne vers Élizabeth et lui demande de bien vouloir passer à son bureau d'ici une heure.

***

Laurie, assise derrière son bureau, semble radieuse. Élizabeth lui tend la main.

— Merci de faire ça pour Alice.

— Je sais reconnaître la force des gens et madame Breton en est remplie. Vous avez des questions, des inquiétudes pour cette sortie ?

— Vous savez, depuis que je connais Lou, je me suis toujours adaptée à ses états d'âme. Ne craignez rien.

— Je ne suis pas inquiète. Au contraire, je suis contente qu'elle puisse ainsi se réfugier chez quelqu'un en qui elle a confiance. Tous les gens ici n'ont pas cette chance.

— Trop de gens, ici comme ailleurs, souffrent d'une désolante solitude. Je vous dis à vendredi et merci encore.

— Merci à vous, madame. Vous n'avez qu'à signer cette fiche de départ et quelques règlements généraux à respecter.

Élizabeth sort du bureau, ravie et enthousiaste. C'est son frère et Françoise qui seront contents d'apprendre la bonne nouvelle. Elle les appelle pour les inviter au restaurant, ce qu'ils s'empressent d'accepter.

Benoît, Françoise et Dave sont ravis d'entendre la bonne nouvelle. Françoise appuie sa tête sur la chaise et se rappelle sa première sortie. Elle laisse couler des larmes. Benoît lui prend la main.

— Enfin, ma cocotte va pouvoir respirer à l'air libre.

CHAPITRE 27

Le grand jour

Lou est nerveuse. Justine vient de la quitter. Lou ne lui a pas dit qu'elle partait pour trois jours chez Élizabeth, elle ne voulait surtout pas perturber les premières vacances de sa fille.

Lorsque Laurie Dussault entre dans la chambre, Lou est assise sur sa chaise et fixe la fenêtre. Le soleil est brillant et Lou semble perdue dans ses pensées

— C'est le grand jour. Comment vous sentez-vous ?

— Nerveuse. J'ai l'impression que je suis emprisonnée depuis plusieurs années.

— Vous ne l'êtes pas, au contraire.

Lou se tortille les mains.

— Vous savez, j'ai souvent su que quelque chose clochait en moi. J'ai une question qui me trotte dans la tête depuis longtemps. Elle revient sans cesse depuis mon séjour ici.

Lou s'étire, se lève.

— Qu'est-ce qui vous tracasse, Lou ?

— J'ai peur de la réponse. J'aimerais pouvoir être une autruche, me mettre la tête dans le sable afin d'en remplir mes oreilles.

Laurie s'approche de Lou et lui prend les mains.

— Est-ce que je serai folle pour le restant de mes jours ?

Laurie lui sourit.

— Cette étape que vous appelez la folie, permet de remettre en place certaines valeurs que vous portez depuis longtemps et que vous avez sûrement perdues en cours de route. Cette situation de vie, que vous nommez folie vous permettra de faire le point sur ce que vous voulez ou ne voulez plus. Vous êtes tout, sauf folle.

— Mais pourquoi en être arrivée là ?

— Comme à peu près toutes les personnes vivant sur cette terre, vous avez érigé un énorme mur de protection autour de vous. Cependant, des événements, des circonstances arrivent et font en sorte que ce mur, cette façade s'effondre tout d'un coup. Et c'est là que l'on s'aperçoit de notre vulnérabilité, de notre fragilité, de ce mélange d'émotions qui devient beaucoup trop fort pour pouvoir le supporter. C'est comme si vous aviez la peau à vif et que vous vous trempiez dans le vinaigre. Mais cette peau vive, personne ne la voit. Il n'y a que vous qui la ressentez. Pour faire taire la douleur, les gens la soignent avec des éléments extérieurs. Dans votre cas c'était la boisson, pour d'autres c'est le jeu, la drogue, le sexe. Mais le baume n'est jamais assez puissant et ça en prend toujours plus. C'est l'engourdissement assuré, mais non la guérison.

— Mon mur de souffrances s'est effrité graduellement et je le colmatais avec la boisson. Mais, la structure s'est véritablement effondrée lorsque j'ai lu la lettre…

— Et là votre souffrance a pris toute la place. La haine, la colère, la révolte vous ont aveuglée. Et vous avez voulu mettre fin à ça, pas à la femme que vous êtes.

— Vous croyez qu'un jour tous les événements du passé seront oubliés ?

— Vous êtes faite de votre passé, il ne disparaîtra jamais, mais avec le temps, vous apprendrez à l'apprivoiser et vous constaterez que jamais vous ne pourrez le changer. Et puis, je serai là. Vous devrez suivre une thérapie, reprendre votre pouvoir et vous constaterez, un jour, que la vie est belle.

— J'ai hâte.

— Vous y arriverez. J'ai foi en vous.

— C'est bon signe.

Lou entend les voix d'Élizabeth et de Françoise dans le corridor.

Lou les accueille avec le sourire. Laurie entoure chacune de ces femmes de ses grands bras affectueux. Elle se permet même de faire la bise à Lou.

— Je vous laisse aux bons soins de vos amies, madame Breton.

Les trois femmes se retrouvent seules dans cette chambre dénudée. Lou se lève, prend son sac.

— Ça va ? lui demande Françoise.

— Couci, couça. Je me sens anxieuse.

— Ça va aller, ma belle cocotte. Viens, on t'amène déjeuner au restaurant. Après, je vous laisse filer à Mégantic.

— Tu ne viens pas avec nous, Françoise.

— Non, Lou. Je préfère vous laisser seules toutes les deux.

Dans le couloir, les trois femmes se tiennent la main. Alice ne regarde pas autour d'elle, ni ne remercie le personnel.

Alice demande de prendre l'escalier, elle a peur d'étouffer dans l'ascenseur.

Arrivées à l'extérieur, Alice respire une bouffée d'air. Elle s'étouffe. Son regard va de gauche à droite. Élizabeth la prend dans ses bras. Bras dessus bras dessous, elles marchent sur le trottoir, le soleil en plein visage. Élizabeth sent Lou beaucoup plus détendue.

Attablées au restaurant, Lou touche à peine à son assiette.

— J'ai peur. Ce mélange d'émotions me fait mal aussi. Je me sens comme une jeune fille qui en est à sa première sortie. Je voudrais que tout ceci ne se soit jamais passé. Je voudrais revenir en arrière et tout recommencer. Sauver ma mère des griffes de mon père. Je crois que je ne pourrai jamais lui pardonner. Il est mort et cette mort me laisse de glace.

Elle boit son café à petites gorgées.

— À l'hôpital, j'ai beaucoup réfléchi. Y'a des journées où je comprends la peine de tout le monde et d'autres où je ne comprends que la mienne. J'ai décidé que lorsque je sortirai, j'irai en thérapie. Y'a trop de choses qui me restent poignées dans la gorge.

— Donne-toi du temps, Lou. Tu seras entre bonnes mains avec Élizabeth. Tu sais, je comprends très bien ce que tu vis. S'il y a une personne qui te comprend, c'est bien moi. Tu m'en veux encore ?

— Non, Françoise. Mais je sens une fragilité entre nous deux. Un petit fil si mince.

— Je le sens également, Lou. Mais sache que je ne t'en veux pas et jamais je ne t'en ai voulu.

— J'aimerais que tout redevienne comme avant.

Élizabeth leur prend la main et doucement, pose un baiser sur chacune d'elle.

— Ça viendra, les filles. Ce temps, qui semble parfois nous miner, arrange bien souvent les choses.

Il est presque midi, lorsque Lou et Élizabeth prennent l'autoroute 10 Est, direction Lac Mégantic.

CHAPITRE 28

Lueurs

Nous sommes arrivées, Lou.

Lou se réveille en sursaut. Elle s'est vite endormie, une fois installée confortablement dans la voiture d'Élizabeth.

— Où dois-je mettre ma valise ?

— La petite chambre en haut au fond est pour toi. Ici, tu peux te reposer, crier, parler, hurler, ça ne me dérange pas. Tu peux pleurer aussi et tu peux aussi me demander de me taire si je parle trop.

— Merci Élizabeth. Je vais prendre une douche, après j'irai me coucher.

— Tu n'as pas faim, Lou ?

— Je suis exténuée.

Élizabeth regarde Lou aller en haut.

En sortant de la douche, Lou constate qu'elle se sent en sécurité près d'Élizabeth.

Au même moment, elle ressent également toute son impuissance, une fois de plus, monter jusqu'à son plexus. Elle tente de pleurer, mais ne le peut pas. Elle se sent prise au piège.

Élizabeth monte pour aller border Lou. Elle lui chuchote à l'oreille qu'elle saura en prendre soin et l'embrasse sur le front.

***

Lou sursaute, c'est le cri d'un geai bleu qui la réveille.

— Salut, tu veux un bon café ?

— Je me le sers.

Élizabeth a le nez plongé dans un cahier et elle n'arrête pas d'écrire.

— Terminé. Tout y est confiné.

Elle dépose son crayon, et regarde Lou.

— Et puis cette première nuit ?

— J'ai dormi comme un bébé. Je me sens bien ce matin.

— Que veux-tu faire aujourd'hui ?

— Je vais aller à l'extérieur et respirer l'air pur de la campagne. Ça fait une éternité que je ne suis pas venue dans ce coin de pays. C'est étrange comme la routine de la vie et les obligations que l'on s'impose nous empêchent de regarder la beauté qui nous entoure.

— Ça prend parfois une épreuve pour revenir à la source.

— C'est payé cher, tu ne crois pas ?

— Il est important de se trouver des moyens, Lou, pour s'en sortir. Il en sera ainsi toute notre vie.

— Tu sais, j'ai bien réfléchi et j'ai envie de vendre mes parts.

— Ton bureau de comptables ?

— Oui, j'y ai assez consacré de temps et d'énergie. À partir de maintenant, je veux m'occuper de Dave et de Justine. Et de moi aussi.

— Je croyais que ce bureau était toute ta vie.

— Moi aussi, Élizabeth, mais je me rends bien compte que même si je n'y suis pas, tout continue de rouler.

Les deux femmes sortent sur la galerie. Le temps est radieux. Lou s'empresse de prendre crayon et feuilles de papier. Élizabeth prend le râteau et va sarcler son jardin.

— Tu veux que je t'aide, Élizabeth ?

— Si tu en as envie. Pour moi, c'est vraiment une thérapie que de jouer dans la terre.

Et sans plus attendre, Lou se lève.

— Tu sais ce que j'ai déjà lu à propos des générations précédentes ? Que les gens, lorsqu'ils étaient déprimés, travaillaient pieds et mains nus dans le jardin afin d'avoir plus d'énergie.

Et c'est pieds nus que Lou entre dans le jardin.

— J'espère que Justine aura du plaisir. Elle ne serait jamais partie si elle avait su que je venais passer la fin de semaine ici.

— Ça lui fera du bien.

Et c'est ainsi que la première journée de Lou se passera. À travailler la terre, à dormir à l'ombre de l'énorme érable et à admirer le paysage qui l'entoure, tout en écrivant ses pensées. En se couchant, elle prie pour la première fois depuis qu'elle est toute petite. Elle se souvient des paroles de Laurie Dussault, concernant la foi, la vie et la prière. Elle est bien consciente que ce sont les médicaments qui lui tiennent la tête hors de l'eau, que c'est grâce à cette médication que l'espoir en la vie lui est revenu. Mais pour l'instant, ce qui compte, c'est ce petit rayon de soleil qu'elle ressent en elle. Une toute petite lueur qui la réchauffe.

CHAPITRE 29

Nuit d'espoir

Lou s'assoit brusquement dans son lit. Au loin, elle entend un grondement. Un bruit sourd, une lumière très vive pénètrent dans la chambre. Blottie sous les couvertures, elle perçoit un autre son, plus léger celui-ci. Elle sort de la chambre en courant. C'est la voix d'Élizabeth qu'elle entend. Sa voix est grave.

— Ça va, j'ai bien compris. Ne vous inquiétez pas Vincent, j'arriverai bientôt.

En raccrochant, elle sursaute en voyant Lou à ses côtés.

— Lou, je dois m'absenter, c'est urgent.

— Qu'est-ce qui se passe ?

— Ne t'inquiète pas. C'est madame Boileau, tu sais celle dont je t'ai parlé au souper ? Son travail est commencé et elle va accoucher de son troisième enfant.

— Et pourquoi t'appelle-t-elle ?

— Parce que je suis sage-femme et que c'est moi qui l'accoucherai.

— Cette nuit ? Tu veux dire, tout de suite ? Je peux y aller avec toi Élizabeth ? Je n'aime pas tellement les orages, surtout ici.

— D'accord, est-ce que tu viens en pyjama ?

Aussi vite Lou monte l'escalier, aussi vite elle descend toute habillée. Élizabeth lui sourit.

— Tu auras sûrement une surprise cette nuit, ton chandail est à l'envers.

— La surprise je l'ai eue. Jamais je n'avais entendu un coup de tonnerre frapper si fort.

***

Il pleut à torrents. Le temps est macabre et il fait noir dans ce petit chemin de campagne.

— Tout est sous contrôle, Lou ? Tu sais, si tu préfères m'attendre dans l'auto, libre à toi. J'ai toujours de la lecture dans le coffre arrière, ça te fera passer le temps.

— Combien de temps ça peut prendre ?

— Qui peut le dire. Tu te souviens de ton accouchement. Combien d'heures y as-tu mis ?

— Dix heures. Ah ! Dix heures interminables. Avoir un enfant, c'est l'acte le plus merveilleux qui soit, mais c'est aussi un des actes les plus douloureux. Des femmes disent oublier après quelques mois, d'autres, au bout de vingt ans, n'ont jamais pu, tout comme moi qui n'ai jamais pu oublier le mien.

— Je n'ai jamais oublié le mien, non plus.

— Désolée, Élizabeth.

La voix d'Élizabeth a tremblé. Elle rive les yeux sur la route.

— Ça va, Élizabeth ?

— Ça va, ma belle. Ça va très bien. Ne t'en fais pas pour moi. Tiens, nous voilà arrivées, tu restes ici ou tu viens avec moi ?

— J'y vais. Je ne sais pas si j'entrerai dans la chambre, mais si tu as besoin de moi, tu pourras me demander, peut-être que je pourrai t'aider.

Élizabeth regarde Lou et lui sourit.

— Allez, go ! On y va !

Il pleut plus fort que tantôt. Un autre énorme coup de tonnerre vient de se faire entendre. La porte d'entrée s'ouvre devant les deux visiteuses. Un petit garçon d'à peine six ans et une petite fille de quatre ans se tiennent devant eux.

— Allô Zabeth, maman crie fort, j'ai peur.

— T'en fais pas mon bonhomme, ton petit bébé va arriver bientôt. Papa est avec maman ?

— Oui, il voulait venir nous coucher, mais maman n'arrête jamais de crier.

Un cri perçant sort d'une pièce. Élizabeth prend vite son matériel et s'y dirige. Lou n'ose pas la suivre. Elle se penche vers les deux enfants.

— Comment tu t'appelles, madame ?

— Lou, et toi ?

— Gaële ; et lui c'est Gaby. Tu veux nous raconter une histoire ? Maman n'a pas eu le temps ce soir.

— Vous voulez me montrer votre chambre ?

Gaby ne veut pas. Gaële, elle, lui donne la main. Elle est mignonne. Lou n'éprouve aucune difficulté à l'endormir. Quant à Gaby, il ne le voit pas du même œil.

— Je veux voir maman et papa aussi.

Au même moment Vincent entre dans la chambre et vient vers son fils.

— Bonsoir, où est Gaële ?

— Elle dort. Je n'ai pas eu autant de chance avec Gaby.

— Allez, mon bonhomme, va au lit.

Un autre cri retentit. Deux secondes plus tard, un coup de tonnerre fait trembler la maison. Le petit se met à crier. Lou se dirige vers lui pour le réconforter, mais il se lance sur son père.

— N'aie pas peur mon gars ; bientôt, tu auras un petit frère ou une petite sœur. Va faire un beau dodo. Peut-être que quand tu te réveilleras, le bébé sera arrivé. Gaby se dirige vers sa chambre.

Tout ce que souhaite le père, c'est que l'accouchement se fasse le plus rapidement possible. Et surtout, que sa femme ne souffre pas trop.

— Si vous voulez vous étendre sur le fauteuil, ne vous gênez pas. Si vous avez besoin de quoi que ce soit, faites comme chez vous. Je retourne auprès de Marie.

Lorsque Lou sort de la chambre des enfants, Elizabeth, elle, sort de la chambre de Marie. Elle semble toujours très calme. Une mèche de cheveux noirs lui tombe devant les yeux.

— S'il te plaît, Lou, voudrais-tu aller à l'auto et me ramener mon cahier sur la banquette arrière ?

En deux temps trois mouvements, Lou revient au salon, mais Élizabeth ne s'y trouve plus. Elle entend un autre cri, moins fort celui-ci. Elle se dirige vers la chambre. La porte est entrouverte, Elizabeth l'aperçoit et lui fait signe d'entrer. En retenant sa respiration et sur la pointe de pieds, Lou avance tranquillement. La femme, couchée sur le lit, a les yeux fermés, le teint cireux.

— AHHH ! AHHH ! !

Lou sursaute et recule, remplie d'une sorte de peur et d'angoisse. Elle se sent inutile. Cette Marie a de la sueur plein le visage.

Élizabeth lui caresse le visage et lui essuie les larmes qui coulent. Avec une grande délicatesse, elle lui masse le ventre. Son mari tente bien de la réconforter, de l'apaiser. Elle grimace de nouveau.

— C'est beau ma belle Marie, bientôt, très bientôt, l'enfant naîtra.

Cette femme, blanche de douleur, parvient tout de même à sourire. Elle regarde son mari. Lui, l'embrasse tendrement sur le nez. Elle se tourne et aperçoit Lou. Le regard de cette Marie est empreint d'une tendresse infinie.

— Bonjour, ou bonne nuit ou bonsoir, j'ai un peu perdu la notion du temps. Merci d'avoir été coucher Gaële, AHHH ! AHHH ! J'AI MAL, ÉLIZABETH, J'AI MAL.

Élizabeth est aux pieds de la femme, tête première dans l'entrejambe. Les doigts gantés tâtent l'intérieur de son corps. Elle palpe le ventre et le presse tout doucement.

— Ma belle Marie, à la prochaine contraction tu pourras pousser aussi fort que tu le voudras.

Lou est hypnotisée. Tout ce qu'elle voit c'est le visage livide et rempli de douleur de cette femme. Tout ce qu'elle entend c'est la respiration saccadée de Marie, accompagnée par celle de Vincent et d'Élizabeth. Elle se laisse emporter par cette cadence et, voulant elle aussi encourager Marie à ne pas abandonner, elle unit son souffle aux autres.

— AHHH ! AHHH ! AHHH ! VINCENT, J'AI MAL !

— Pousse ma belle, vas-y, pousse. … Ça va, repose-toi.

La phrase n'est pas terminée, que Marie se remet à hurler. Vincent pleure. Il regarde Élizabeth, essuie ses larmes, pose un baiser sur le front de sa femme.

— Ça y est, ma belle, je vois la tête. À la prochaine contraction pousse le plus fort que tu pourras. Votre trésor s'en vient. Vas-y Marie, pousse, pousse. … Voilà, très bien.

Élizabeth a des doigts de fée, une voix de fée. Marie semble moins souffrante.

— AHH ! Je l'ai chéri…

— Félicitations mes chéris, une belle grosse fille.

Vincent enlace Marie, l'embrasse partout sur le visage. Lou est soulagée. Par chance, l'accouchement n'a pas duré vingt heures.

Tout à coup Lou pense à sa vie, à la naissance de sa fille et elle ne peut plus retenir ses larmes. Elle se déplace de quelques pas pour mieux admirer le bébé. Sur le lit elle aperçoit une mare de sang.

Lorsqu'elle entend le bruit, Élizabeth tourne la tête et aperçoit Lou, étendue sur le plancher.

***

— Lou, ça va mieux ?

— Élizabeth, je m'excuse, je ne voulais pas. Elle tente de se relever. Élizabeth lui me tend un verre de jus d'orange.

— J'ai mal au cœur.

— Reste couchée quelques minutes. Tu es aussi blanche que Marie, tantôt.

Elle n'ose bouger la tête de peur de revoir tout ce sang. Elle s'étire pour voir le bébé qui tète au sein de sa mère toute souriante.

Élizabeth l'aide à se relever.

— Approche. C'est une petite fille, d'une telle beauté, en forme et en santé.

— Félicitations. Lou effleure d'un doigt la tête du bébé. Élizabeth, je vais t'attendre dans l'auto.

— Va te reposer. Je t'y rejoins bientôt.

Il ne pleut plus. Le soleil pointe à peine à l'horizon. Lou ferme les yeux et revoit toute la scène de l'accouchement. Elle est emplie d'une émotion d'amour, comme elle en a rarement connu.

***

— MAMAN !

Élizabeth se range sur l'accotement de la route et secoue légèrement Lou.

— Ça va mieux ?

— J'ai fait un cauchemar. Il y avait du sang. Maman gisait au centre de la mare.

— Viens dans mes bras, ma belle.

Seuls quelques sanglots sortent péniblement. Lorsque Lou se retourne, elle voit Élizabeth qui pleure tout aussi fort qu'elle. Les deux femmes appuient leur tête l'une contre l'autre.

Élizabeth remet l'auto en marche. Elle a retrouvé son calme et sa grandeur. Un silence règne. Lou pose sa tête contre la fenêtre. Elle se sent apaisée.

Arrivées à la maison, Lou et Élizabeth mangent une bouchée. Une bonne partie de la journée servira à récupérer leur sommeil.

CHAPITRE 30

Justine en vacances

Justine, aussitôt arrivée au chalet, se sent en vacances. Le teint de sa mère, ses yeux, le sourire qu'elle lui a fait avant de partir, ont fait en sorte qu'elle pourra savourer ces quelques semaines. Elle sait maintenant que le pire est passé et que sa mère l'aime.

À la plage, il y a des garçons qui commencent déjà à reluquer les filles. Rose et Justine en sont bien conscientes. Elles rient plus fort que d'habitude et se lèvent plus souvent, soit pour aller faire trempette dans le lac ou tout simplement pour prendre une petite marche, jamais trop loin du groupe de gars.

Louis, le plus dégourdi de la gang, est bien tenté d'inviter les deux filles pour le feu de camp de ce soir. Mais, il considère que la journée est encore bien jeune. Il aime particulièrement le sourire de celle qui s'appelle Justine.

Justine fait part à Rose, qu'elle trouve à son goût le gars qui la reluque.

CHAPITRE 31

Souvenirs douloureux

Par la fenêtre, Élizabeth regarde Lou. Cette dernière a l'air songeuse.

Élizabeth brasse la vaisselle. Puis le silence revient. Lou l'entend s'approcher et la voit, le balai à la main, le linge à vaisselle sur l'épaule.

— Lou, tu veux faire quelque chose de spécial ?

— Oui, arrête de t'affairer et viens t'asseoir.

Élizabeth s'installe tout à côté de Lou.

— Tu as l'air triste, Élizabeth. Tu n'écris pas ce matin ?

— C'est fait. Lorsque je me lève, ou enfin, me réveille si tôt, c'est que ma tête est trop remplie d'images, de gestes, de peine aussi.

— Et cette tristesse ?

— Je ne peux me permettre d'être triste après un événement si heureux. Il y a des moments où la naissance me ramène à de beaux souvenirs. Tu as faim, Lou ? Je vais préparer du café. J'apporterai des croissants. Ça te dit ?

— Reste près de moi.

— Je reviens dans cinq minutes.

Lou entend aboyer un chien au loin. Une brûlure descend dans sa gorge. Elle grimace. Élizabeth l'observe à travers les carreaux de la cuisine. Une si belle fougue, mêlée d'une si grande détresse pour ce petit bout de femme.

Lorsqu'Élizabeth se retrouve près de Lou, cette dernière est perdue dans ses pensées.

— J'ai peur tu sais, Élizabeth. Peur que tout ceci me suive. J'ai peur de voir Dave s'éloigner. Peur que l'amitié entre Françoise et moi ne redevienne jamais comme avant. Peur de ne pouvoir jamais oublier. Vouloir quitter la vie, Élizabeth, c'est de vouloir en finir une fois pour toutes avec la souffrance qui prend toute la place. Vouloir se donner la mort, c'est prendre conscience que l'ombre de la vie a envahi tout ce qu'il y a de lumière dans le cœur. Et cette ombre, cette monstruosité t'enferment dans un cachot où suintent toutes les plaies béantes. Je n'ai même pas eu la force de m'accrocher, parce que je glissais sur ce pus nauséabond. Lorsque j'ai vu mon père ainsi, me déclarer ce qu'il avait fait subir à Françoise, j'ai su que c'était un coup de trop.

Lou se blottit contre Élizabeth. Cette dernière dépose un baiser sur ce visage de femme blessée.

— J'ai hâte de tout oublier.

— Peut-être que tu n'oublieras jamais, Lou. Je ne crois pas que l'on puisse oublier le passé. On peut faire la paix avec, mais l'oublier ? Je n'en suis pas certaine.

Élizabeth se redresse et prend une grande respiration.

— Je ne sais pas si je peux en parler aussi facilement que toi. Moi, c'est l'écriture quotidienne qui m'aide à me libérer. Ce que je peux te dire, c'est que je comprends très bien la souffrance que tu peux vivre. Je ne t'ai jamais trop parlé de la mort de mon fils et de mon mari. Je n'en étais pas capable.

Le poids des émotions lui pesant sur les épaules, Elizabeth se lève péniblement et prend une bonne respiration.

— Je reviens.

Lou se déplace vers la balancelle. Seule sur la galerie avec cette chaleur étouffante, elle ferme les yeux. Le grincement de la porte la fait sursauter. Élizabeth porte un cabaret contenant verres de jus, biscottes et fromages et quelques tranches de pommes et de poires. Sous son bras, un gros cahier vert.

Le cahier sur ses genoux, Élizabeth tient entre ses doigts un vieux bout de laine rose lui servant de signet. Elle ouvre le cahier, pour ensuite le refermer aussi rapidement.

— Lou, tu es la première personne à avoir accès à mon journal. L'histoire que je vais te lire est véridique, même les noms n'ont pas été changés.

Pour apaiser la tempête qui gronde, Élizabeth respire profondément. Doucement, elle ouvre le cahier. Posément, la voix d'Élizabeth, à peine audible, coule d'une source d'origine douloureuse, encore vive.

« Bénin, le 6 mai 1985, 10:30 am »

« Aujourd'hui tout porte à croire que la journée sera superbe. Le soleil, la beauté des gens, mais aussi leur courage sont palpables. Malgré le taux abominable de pauvreté, les gens d'ici sont d'une telle gentillesse. Pas comme chez nous où les gens se plaignent de tout et de rien.

William, mon merveilleux mari, m'a fait l'amour de façon sublime ce matin. Comme j'aime sa peau sur la mienne, son parfum, son goût sucré, mais aussi ses délicates attentions. C'est l'homme le plus merveilleux que je connaisse. Avant de partir, ce matin, il m'a redit combien il est heureux à mes côtés, combien je rends son soleil encore plus brillant. Rien de moins. Je suis une allumeuse de soleil ardent et puissant. »

Élizabeth ferme les yeux.

« Depuis bientôt un an, nos journées se font de plus en plus courtes, car notre fils remplit tous nos temps libres... »

Elle s'arrête, le temps de respirer à fond.

Lou, pose sa main sur le bras d'Élizabeth, qui poursuit sa lecture.

« Ce matin, William a décidé d'amener Matthew au parc. Notre petit chou a déjà

commencé à faire ses premiers pas. C'est pour cette raison que je me permets de faire la grâce matinée. Il est rare que je puisse écrire en matinée cher journal... Bon qui est-ce? On frappe à la porte... »

Le mot *porte*, a été plus deviné que compris. Élizabeth est déchirée. Elle remet le bout de laine, referme le cahier, pose sa tête sur la balancelle. Des larmes coulent sur les joues.

Lou retient son souffle.

— C'est à partir de cette journée, ma belle chouette, que ma vie a chaviré. Tiens, lis la suite si tu en as envie. J'en suis incapable.

Élizabeth se lève, prend un verre de jus. En descendant les marches, elle se retourne.

— Juste à côté, il y a plus de détails. Je vais faire un tour au jardin.

Lou la regarde s'éloigner. D'une main tremblante, elle ouvre le cahier. Ce qui attire le plus son attention, c'est le mot *morts*, délavé. Elle remarque aussi l'écriture toute petite, différente de celle employée sur la page de gauche. Comme si la main qui avait tenu le crayon, avait été celle d'un enfant.

« Le 6 juin 1985,

Un mois aujourd'hui, jour pour jour, William et Matthew sont morts. En voulant traverser la route, un chauffard les a frappés. Je ne vis plus depuis cette journée du 6 mai 1985. J'ai relu mon début de journée. Moi qui prédisais que cette journée serait d'une beauté à couper le souffle. Elle m'a plutôt coupé du souffle de la vie.

Si je me permets d'écrire aujourd'hui, c'est pour apaiser le goût de les rejoindre tous les deux. Depuis bientôt un mois, toutes mes nuits, mes matinées, mes après-midi et mes soirées ne me servent qu'à essayer de me raisonner de rester en vie. Que porte cette terre, sinon qu'une souffrance prête à tout rayer de la carte ? »

Lou a besoin de respirer. Elle bouge sur la balancelle, s'étire.

« Je me sens isolée, mes amis ne savent pas quoi dire. Mon travail ne m'intéresse plus. Pourquoi essayer de sauver des vies, quand je n'ai même pas su...

Ma famille est à des milliers de kilomètres. Je leur ai écrit ma peine. J'ai reçu une carte de condoléances, maman et papa comprennent, mais ne peuvent venir me rejoindre. D'ailleurs sauraient-ils quoi me dire ? Ils me demandent de revenir à la maison. Je ne peux surtout pas abandonner mes chéris. Qui, chaque jour, fleurirait leur tombe de marbre froid leur servant de couverture ? Je ressens au moins une mince consolation en pensant que William et Matthew sont ensemble. »

Lou aperçoit Élizabeth, assise sur le banc de parc près du jardin. Elle dépose le cahier sur la balancelle

— Je peux m'asseoir ?

— Viens, ma douce.

Elle prend la main d'Élizabeth.

— Élizabeth, tu as tellement souffert en silence. Comment as-tu fait pour tenir le coup ? Où prends-tu ta force pour m'aider, aider Justine ?

— Je crois que c'est ma mission de vie. Aider les autres, leur donner espoir. La misère humaine est ce qu'il y a de plus facile à déceler. Les yeux, la voix, le mouvement du corps, tout change au contact de la peine, d'une émotion trop vive. Et toute peine, si minime soit-elle, est pénible pour la personne qui la porte en elle.

— Comment tu as fait pour que la tienne soit moins pénible ? Je veux dire, est-ce que toutes les peines s'oublient ou enfin s'atténuent ?

— Oublier pour moi est un bien grand mot. Comme tu as pu le constater, les souvenirs sont très présents, même après treize ans.

— Mais, tu as pu continuer ?

— Je comprends très bien ce que tu vis, Lou. Ce goût de la mort plus fort que tout. J'ai poursuivi ma route, comme toi, qui poursuivras la tienne, ma douce. En t'accrochant à des gens qui t'aideront à passer au travers, à des gestes aussi. Et à cette merveilleuse nature.

Lou prend Élizabeth dans ses bras et l'embrasse sur la joue.

— Le geste déclencheur, le geste pour lequel je vis maintenant est le plus beau qu'il m'a été donné d'offrir. Si j'aide les femmes à mettre des enfants au monde, c'est en quelque sorte une ode que je m'offre, ainsi qu'à la vie.

Elle commence à parler d'une voix lointaine, qui la ramène à ce souvenir.

— Plus de deux mois après leur mort, mon voisin est entré en trombe dans mon appartement. La panique se lisait sur son visage. Sa femme, qui ne devait accoucher que plus tard, et que je suivais avant la mort de mes deux chéris, a perdu ses eaux chez elle. Il m'a suppliée de venir voir sa femme, Daphnée.

Un léger sourire teinte son visage.

— Daphnée a été celle qui m'a le plus aidée à surmonter la pente lors des journées plus difficiles. Je me rappelle de tout ce que cette femme a pu m'apporter. Elle avait déjà fait trois fausses couches et avait très peur d'en refaire une quatrième. Elle me parlait du deuil, me disait qu'elle me comprenait, mais moi, je lui répétais que ma peine était bien plus grande que la sienne.

— J'avais eu l'occasion, moi, de tenir mon bébé dans mes bras, elle, non. Pauvre Daphnée, ce qu'elle a dû être patiente pour entendre toutes mes bêtises.

— Arrivée à leur appartement et voyant Daphnée étendue sur le tapis, je me suis précipitée à son secours. Son pouls était très faible et j'entendais à peine le cœur du bébé. J'ai demandé à Raymond d'appeler une ambulance. Il était sans voix, paralysé. Daphnée était d'une pâleur à faire peur, comme toi lorsque tu tombes dans les pommes.

Lou lui sourit.

— Cet accouchement a été le plus difficile auquel j'ai dû assister. En essayant de se relever, le temps que je prenne quelques notes, elle est retombée par terre. Un cri de douleur s'est échappé du fond de ses entrailles. En me précipitant vers elle, je vois la mare de sang sur le tapis. Tout de suite, j'ai su que le bébé était coincé. Hurlements après hurlements, l'épuisement faisant place à la panique, Daphnée ne se contrôlait plus. Le cri de la sirène d'ambulance m'a permis d'entrevoir la lumière au bout du tunnel. Mais, j'ai pu le constater plus tard, le tunnel était très profond et très noir. Après vingt-deux heures de douleurs, de cris et de lamentations, le miracle est enfin sorti de son nid. Un beau petit garçon. La mère ne l'a qu'entrevu, puisque le bébé présentait des signes négatifs. Mais ce bébé a finalement survécu ; la mère aussi d'ailleurs. Quand je suis allée la voir à sa chambre, quelques heures après l'accouchement, elle m'a accueillie avec le plus merveilleux des sourires.

Élizabeth ferme les yeux. C'est une de ses plus belles histoires de naissance.

— Elle m'a remerciée, m'affirmant qu'elle ne m'oublierait jamais. Je lui ai répondu que j'avais simplement fait mon travail. Elle a répliqué que mon travail n'était pas banal, puisqu'il s'agissait de mettre des enfants au monde, tout en aidant les femmes à donner la vie, une des beautés de la vie, la plus touchante. Elle m'a souri, je l'ai embrassée sur la joue. En tournant les talons pour me diriger vers la sortie de sa chambre, elle m'a confié que son bébé s'appellerait Matthew, si je n'y voyais pas d'inconvénient. Je me suis arrêtée, c'est un cadeau qu'elle me destinait et je l'ai accepté de bon cœur.

— Et ta peine est partie après deux mois ?

— Oh non, ma belle ! J'ai dû peiner, pleurer, consulter un psychologue, ne reprendre que très partiellement mon emploi. Le temps s'effritait et je ne voulais pas qu'il passe. J'avais peur d'oublier leurs visages, leurs corps, leurs mots. J'ai eu la tentation de noyer ma peine : l'alcool, la drogue, mais rien n'était jamais assez fort pour tout oublier. Au contraire, je m'enfonçais.

— Je comprends très bien.

— On croit tous que la fuite est la façon de tout oublier. J'ai été tentée de voyager partout dans le monde, mais je constatais que ma douleur me suivait, irrémédiablement. J'ai aussi été tentée de m'étourdir dans le travail, peine perdue. Aucune distraction possible ne peut te faire oublier la lourdeur d'une telle épée, plantée dans le cœur.

— Alors ? Comment on fait ?

— Et bien moi, j'ai appris avec les années. Chaque fois que je mettais des enfants au monde, je ressentais une espèce de paix intérieure. J'ai alors pris la décision de ne faire que des accouchements et plus tard, de répondre à un besoin plus pressant des femmes qui veulent accoucher chez elle.

— Pourquoi avoir quitté l'Afrique ?

— À la mort de mes parents, j'ai vraiment ressenti le besoin de m'enraciner.

— Alors, c'est bien vrai que seul le temps apaise la peine ?

Élizabeth ne répond pas. La fatigue se lit sur son visage.

— Je m'ennuie de Justine, tout à coup.

Élizabeth l'embrasse sur la tête. Comme elle voudrait ne plus voir souffrir personne.

— Et je ne t'ai même pas aidée, Élizabeth, lorsque tu en avais besoin. J'étais trop prise par mon travail. Et ton frère.

— Un soir, Dave est venu pour me consoler. J'ai engueulé mon frère comme du poisson pourri. Il est reparti. Il a toujours fait comme si rien ne s'était passé. De toute façon, j'étais incapable d'en parler. Je suis exténuée. Je vais aller m'étendre.

Arrivées sur la galerie, Lou se dirige vers la balancelle, prend le cahier vert et le tend vers Élizabeth.

Elizabeth le prend et le caresse de sa main gauche.

Le silence, une fois de plus, remplit tous les recoins de la maison. À l'extérieur, une douce brise souffle. Élizabeth et Lou entendent une portière de voiture. Françoise arrive, le regard lumineux.

Elle se jette dans les bras de Lou et d'Élizabeth et se met à pleurer.

— Qu'est-ce qui se passe ?

— Les filles, c'est un miracle, je suis enceinte. Françoise pose la main de Lou et d'Élizabeth sur son ventre.

— Depuis quand ?

— Un mois et demi.

— Sortons le champagne, s'écrie Élizabeth.

— J'aimerais mieux du jus, Éli. J'ai décidé de venir vous l'annoncer tout de suite.

Lou se met à pleurer de joie, de ce surplus d'émotions pris trop longtemps entre son cœur et sa raison.

— Tu sais, Françoise, pas plus tard que la nuit dernière, j'ai assisté à un accouchement fait par nul autre qu'Élizabeth. Ce fut un merveilleux cadeau de la vie. Une petite boule de vie.

— Tu pourrais m'accoucher, Éli ?

— Certainement.

Élizabeth décide d'aller prendre une douche. Puis, toutes les trois passeront la nuit à placoter, à pleurer, à rire et à bâiller.

Elles ont trop de temps à reprendre, tant de beauté à décrire pour se préoccuper des mauvais sorts que la vie peut mettre sur leur passage. Cette nuit, toutes les trois, elles fêteront la vie, comme autrefois, mais sans artifices.

CHAPITRE 32

Un retour tumultueux

Le retour du Lac Mégantic vers Montréal se passe bien.

— Je t'ai fait de la peine Françoise et je m'en excuse. Je n'ai jamais oublié notre pacte… quoiqu'il arrive, nous resterons toujours unies.

— C'est fut l'une des pires périodes de ma vie, Lou. En même temps, j'apprends que mon rêve de devenir maman va se réaliser. Tu veux être la marraine ?

Lou lui sourit, ça me fera vraiment plaisir.

— Et dire que j'aurais pu manquer cet événement de vie. Merci, Françoise. Je t'aime beaucoup, tu sais.

— Je t'aime aussi, Lou. Benoît n'a pas arrêté de pleurer et de rire lorsque je lui ai annoncé. Il a même été acheter une couverture.

— Cet enfant aura les meilleurs parents du monde.

— Justine est pas mal gâtée aussi. Au fait, comment va-t-elle ?

— Elle a appelé Dave et il m'a dit que Justine était réjouie de cette escapade. J'espère qu'elle sera heureuse.

— Elle le sera, Lou. Justine a un petit quelque chose de spécial.

— Pas trop nerveuse, Lou, de retourner dans cette chambre ?

— Je sais maintenant que ma guérison est amorcée, Françoise. J'étais trop prise dans mon carcan et maintenant je sais que je pourrai, comme toi, comme Élizabeth, m'en sortir. Tiens, avant de rentrer j'aimerais bien aller dans cette librairie pour y acheter un cahier d'écriture. J'ai l'intention d'écrire mon histoire afin que Justine me comprenne mieux. J'écris tout sur des feuilles volantes. Je crois que je mérite bien un beau cahier.

— Quelle bonne idée. Je t'y accompagne. J'en choisirai un pour Justine. Ça va ?

— Je ne sais pas ce qui s'est passé, mais j'ai l'impression que la colère s'est dissipée. J'ai écrit des dizaines de pages sur ma vie, que j'ai jetées par la suite à la poubelle. Je ne sais pas si c'est un miracle, mais… regarde, il y a une place de stationnement juste en face de l'hôpital. C'est notre jour de chance.

Toutes les deux attendent que le feu passe au vert. Au moment de traverser, et lorsque Françoise tourne la tête, elle aperçoit un lourd camion qui, étant donné la vitesse, ne pourra pas freiner à temps. Elle n'a le temps que de voir le sourire radieux de Lou qui n'a pas eu le temps, elle, d'apercevoir le mastodonte la frapper de plein fouet.

La circulation est arrêtée. Françoise crie, hurle. Des infirmiers, qui prenaient une pause à l'extérieur, arrivent sur les lieux. Françoise se penche vers Alice et pleure. Lorsque les infirmiers l'aident à se relever, elle aperçoit que de la poche de manteau de Lou, dépasse une lettre écrite en rouge. Françoise la prend et la dépose au fond de son sac à main. Lou est amenée immédiatement aux soins intensifs.

À l'hôpital, Françoise pleure, se sent décontenancée. En larmes, elle rejoint Benoît. Elle lui demande d'aller chercher Dave et de venir la rejoindre de toute urgence. Elle lui demande d'appeler Élizabeth.

Benoît, inquiet, arrive chez Dave. Ce dernier ne comprend rien à l'histoire. Benoît pense que Françoise a perdu son bébé. Dave l'accompagne à l'hôpital.

— Françoise veut que tu préviennes Élizabeth.

— Pourquoi ?

— Appelle ta sœur et arrête de poser des questions. Ça fait des années que je veux être père…

— Benoît, tu n'es même pas certain…

— Pourquoi m'aurait-elle appelé en larmes ?

— Je me souviens, Lou pleurait souvent les premiers mois de grossesse.

— Et elle t'appelait souvent de l'hôpital ?

Dave ne répond pas. Il est si rare de voir Benoît dans cet état, qu'il ne sait même pas quoi lui dire.

Rendus à l'hôpital, Dave va au poste d'accueil et aperçoit Laurie Dussault. Elle demande aux hommes de la suivre. Surpris, Dave et Benoît, n'osent poser de questions.

En entrant dans la pièce, Benoît voit Françoise étendue sur une civière. Cette dernière est en larmes et recommence à sangloter de plus belle lorsqu'elle aperçoit Dave et Benoît.

— Excuse-moi, Dave.

Ce dernier, perplexe, regarde Laurie Dussault.

— Messieurs, il est arrivé un malheur à madame Breton.

— Quoi ?

— En voulant traverser la rue, un camion l'a heurtée de plein fouet. Elle est aux soins intensifs. Son état est critique.

— Que s'est-il passé ?

— Elle voulait aller s'acheter un cahier et en traversant...

— Je veux la voir.

— Dave, je suis désolée.

Dave sort et se précipite aux soins intensifs. Il a du mal à reconnaître Lou. Son visage est noirci et elle est branchée de partout. Il s'effondre. L'infirmier lui demande de sortir. On doit l'amener d'urgence en salle d'opération. Hémorragie interne.

Dave revient dans la petite salle où Benoît et Françoise sont en pleurs. On vient de l'examiner et le bébé est bel et bien en vie.

— Je vais prévenir Élizabeth de l'urgence de la situation.

***

Élizabeth, qui, blottie dans son fauteuil en train d'écrire ses pensées, sursaute lorsqu'elle entend la sonnerie.

— J'arrive, Dave. Le temps des préparatifs, je serai à Montréal d'ici trois heures.

— Élizabeth, est-ce que je serais mieux de prévenir Justine ?

— C'est si grave ?

— Je pense que oui.

— Alors, j'appellerai la puce en arrivant à Montréal. Si c'est possible, je pourrai faire une réservation pour qu'elle prenne l'avion.

Dave raccroche et se met à pleurer comme un enfant.

***

À l'intérieur d'une toute petite salle, Justine se tient dans les bras de son père, Françoise est incapable de contenir ses larmes. Benoît et Élizabeth la soutiennent. Tous sont en pleurs, tous sont sous le choc. Lou est dans le coma. Branchée à plusieurs machines, les médecins ont peu d'espoir.

— Mais, il y a de l'espoir tout de même, docteur ?

— Oui, Justine, un mince espoir.

— Alors elle a une chance de s'en sortir ?

— Ma puce.

— Papa, il n'est pas question d'abandonner. Elle a décidé de continuer à vivre, nous devons tous prier pour elle.

Son père la regarde, surpris.

— Oui, prier papa. C'est ce que je fais depuis bientôt un an. Que je parle à quelqu'un qui me dit de garder espoir, qui me dit de continuer à croire en la vie.

— Tu es bien chanceuse, Justine.

— Ce n'est pas de la chance, papa, c'est avoir la foi.

— Françoise, Benoît, Élizabeth, vous savez comment prier ?

— Oui, Justine.

— Alors, faites-le pour maman. Toi aussi papa.

Tous les six, docteur Dussault compris, ferment les yeux et se recueillent en silence dans cette petite pièce.

Lorsque Laurie Dussault ouvre les yeux, elle se tient face à ces cinq personnes. Elle demande à Françoise, si elle en a la force, de leur expliquer comment cet accident s'est produit.

Françoise, les traits tirés, prend la parole et comme une automate, elle relate les faits.

— Nous allions acheter des cahiers d'écriture pour elle et Justine. Elle voulait écrire le parcours de sa vie, afin que la puce comprenne mieux. Lorsque nous avons voulu traverser, le camion a tenté de l'éviter. Tout s'est passé très vite. Et puis, la voilà étendue sur la rue, couverte de sang. Juste avant de traverser, Lou m'a fait un magnifique sourire. C'est cette image que j'aimerais que l'on garde d'elle.

Depuis qu'elle est revenue, Justine n'a pas osé poser la question, celle que sans doute tous et chacun se pose. Mais là, elle veut savoir.

— Tu crois que maman a fait exprès ?

— Non, Justine. Je te jure que ta mère était nerveuse, mais semblait avoir fait la paix avec la vie.

— Justine, ta mère, Françoise et moi avons passé une magnifique nuit. Je te jure que Lou allait beaucoup mieux. Elle m'a même dit qu'elle s'ennuyait de toi et qu'elle avait hâte de te revoir.

— Elle a également accepté d'être la marraine de notre enfant, Justine. Je crois, sincèrement que ta mère était sur la bonne voie.

— Est sur la bonne voie, Françoise.

— Oui, Justine, tu as raison.

Françoise regarde Laurie Dussault. Cette dernière les regarde l'un après l'autre.

— Madame Breton allait beaucoup mieux. Jamais nous ne nous serions permis de la faire sortir si nous avions eu des doutes. Madame Breton, possède une très grande force. Croyez-en mon expérience. Justine a raison de vouloir garder espoir.

Françoise ouvre son sac pour prendre des papiers mouchoirs et retrouve la lettre retrouvée sur le corps frappé d'Alice Breton. Elle l'a déplie et reconnaît l'écriture de sa grande amie.

— Cette lettre était dans les poches de Lou au moment…

— Je la reconnais. C'est la lettre qu'elle a écrite samedi matin. J'ai voulu lui prêter un stylo à l'encre bleue, mais elle a préféré l'écrire à l'encre rouge. Je me souviens très bien de son sourire lorsqu'elle s'est mise à griffonner. Elle m'a dit : Élizabeth, dorénavant, je tenterai d'écrire, comme toi, à tous les matins.

Élizabeth s'essuie les yeux.

Françoise commence à lire la missive.

À vous tous que j'aime tant : Justine, Françoise, Élizabeth, Dave et Benoît, ma seule et unique famille.

On peut faire comme si, en toute une vie, rien ne s'était passé. Cependant, au fil du temps, la vie se charge bien de faire remonter à la surface cette toute petite fissure, qui, petit à petit s'ouvre lors de certains passages plus difficiles de la vie. Jusqu'au jour où, la plaie devient beaucoup trop vive et suinte abondamment au contact de la douleur. C'est à ce moment que l'on perd ses propres repères. Mais ça vous le savez, toi Élizabeth et toi, Françoise

Un sanglot éclate. Françoise ne peut se retenir. Benoît et Élizabeth vont l'asseoir sur un fauteuil. La lecture est suspendue durant un court moment. Élizabeth demande à Françoise si la docteure Dussault peut continuer la lecture de la lettre. Cette dernière acquiesce.

Tout ce qui semblait bien aller, commence lentement à tanguer, à bouger. Au début on ne sent pas le mouvement, jusqu'à ce qu'il devienne étourdissant, prenant. Et puis on est pris avec une espèce de nausée face à tous nos questionnements, à toutes nos angoisses. Repères, sécurité, vie... tout devient trop flou. J'ai tout noyé dans le gin et là, d'immenses raz-de-marée m'ont envahie et m'envahissent, malgré ma sobriété obligée.

Puis, au moment où l'on perd pied, un tourbillon, un vide nous entraîne dans une chute. Et tout s'enchaîne. On n'ose plus bouger. Cependant tout semble aller trop vite autour de nous, à l'extérieur de soi. On se demande pourquoi telle ou telle personne sourit, lorsque soi-même on est complètement incapable de tendre les lèvres. Pourquoi ne souffrent-ils pas autant que moi, tous ces gens qui se complaisent dans leur petit bonheur ?

On n'ose plus se déplacer, mais le tourbillon, lui, continue de nous étourdir au point de nous faire chuter encore plus bas. Puis la descente, tout à coup, devient violente, les cauchemars sont terrifiants et on perd de vue les balises de notre vie. On a juste une envie : celle de fuir vers la mort. Mais on se retient aux êtres chers, comme vous, toi Françoise, toi Justine, Dave, Élizabeth, Benoît.

Puis est arrivé ce jour où ma vie a glissé entre mes doigts. Je ne pouvais plus rien retenir, ni vous, ni moi. Trop de peine, trop de souffrance d'un seul coup.

Je sais, Françoise, que tu as eu la force de t'en sortir. Toi aussi Élizabeth, malgré la grande souffrance qui a pu vous arriver. J'ai toujours admiré votre courage. Je me suis toujours sentie monumentale à vos côtés. Et je sais pourquoi ; vous avez toujours su retenir ce lien qui nous unit. Aujourd'hui, j'ai envie de renouer avec la force de ce lien.

Justine, je sais que je n'ai jamais été la mère idéale. J'ai réalisé que je te laissais jouer mon rôle. Pardonne-moi, ma puce. J'ai juste une envie, celle d'être à tes côtés pour te voir grandir, sourire. Tu n'auras plus à me soigner de la boisson, c'est l'un de mes plus grands souhaits.

Justine, sanglote dans les bras de son père. L'un comme l'autre savent que les temps seront assez difficiles. L'un comme l'autre devront s'épauler. Dave se demande s'il en aura la force.

Laurie Dussault, très respectueuse de ce moment difficile, demande si elle doit continuer la lecture ou si tous préfèrent qu'elle se taise. Tous répondent qu'elle peut continuer.

Dave, je suis prête à faire face à mes démons et j'espère que tu pourras m'accompagner vers cette nouvelle voie. Si tu le veux bien, naturellement. Tu es l'homme de ma vie, mais ça, tu le sais déjà. J'ai tenté par tous les moyens de m'évader de cet amour, par peur d'être blessée, mais toujours je t'ai porté dans mon cœur. L'amour, quel grand mot, quel grand concept. Je ne demande qu'une chose, c'est de le vivre et de m'y abandonner.

Élizabeth, chère belle-sœur. Tu es si sensible et si forte à la fois. Tu es mon modèle de compassion. Malgré les grandes souffrances que tu as vécues, tu t'es relevée. Je t'admire. Je te promets d'aller te voir plus souvent. Merci de m'avoir fait vivre cet accouchement. J'ai vu là une grande femme au cœur d'or. Une Élizabeth remplie de lumière. Tu es un phare.

Françoise, notre souffrance est identique et c'est probablement ce qui nous rapproche l'une de l'autre. Je suis contente que nous nous soyons parlé. Il y aura encore mille choses à nous raconter. J'ai honte de ce que mon père t'a fait subir. J'ai mal aussi. Mais un jour, nous parviendrons à en discuter, comme nous avons toujours pu et su discuter de la vie et de son sens. Merci, Françoise d'être la femme que tu es et de vouloir continuer à être mon âme sœur.

Et toi, Benoît, continue d'être l'homme merveilleux que tu as toujours été. Tu m'as toujours accueillie telle que j'étais, sans jamais me juger. Et c'est pour ça que je t'ai toujours aimé. Continue de prendre soin de tes femmes, comme tu te plais à nous appeler, mais surtout de ta bien-aimée.

En écrivant cette lettre, enfin, je sens un vent de liberté. Je respire mieux. Lorsque je sortirai de l'hôpital, chacun de vous recevra une photocopie de cette lettre, ainsi, vous saurez que vous avez été, êtes et serez toujours les êtres les plus importants de ma vie.

Je garderai, bien entendu, une copie de cette lettre que je pourrai lire lors de mes moments de doute.

Je vous embrasse, passionnément,

Votre Louve retrouvée.

La pièce est remplie de sanglots et de reniflements.

— Tout comme moi, et si vous aviez le moindre doute, vous pouvez le constater, le geste n'était pas prémédité. Cette femme, malgré sa grande souffrance, a compris qu'elle avait une place de choix parmi vous. Vous la connaissiez beaucoup plus que moi. Vous l'avez aimée, tous autant que vous êtes. Il y a une beauté contrastante avec la souffrance qu'elle vivait et l'amour qu'elle ressentait face à vous tous.

Laurie s'arrête. Les sanglots lui serrent la gorge.

Élizabeth s'approche du docteur Dussault pour reprendre la lettre.

— Merci infiniment. Lou m'a dit combien vous êtes généreuse de votre temps et elle a également apprécié votre douceur et votre patience.

Dave se dirige vers Élizabeth et l'enlace. Justine pleure à fendre l'âme. Françoise et Benoît l'accueillent et la couvrent de baisers sur la tête.

— Je vais rester à son chevet pour la nuit.

— Moi aussi, papa.

— Non, Justine. Nous aurons tous besoin de nos forces. Élizabeth, tu veux rentrer à la maison avec Justine ? Benoît et Françoise, allez vous reposer.

— Et toi, Dave ?

— Ce soir, ma place est ici. Je vous tiendrai au courant de tout changement.

— Je viendrai prendre le relais demain matin.

— Merci, Élizabeth.

— Demain, en fin d'après-midi, ce sera mon tour. Je viendrai avec Benoît.

— D'accord Françoise, mais tu devras également prendre soin de toi.

— Oui, Élizabeth, je n'y manquerai pas.

— Et moi, je viendrai avec toi demain matin, Élizabeth.

— D'accord, Justine.

CHAPITRE 33

Entre la vie et la mort

Après deux mois de veille, tous commencent à ressentir une grande fatigue. C'est Justine qui est le plus souvent au chevet de sa mère. Elle la peigne, lui fait la lecture et lui explique comment se sont passées ses courtes vacances. Ce gars a voulu l'embrasser le premier soir et elle a accepté.

— Tu sais, maman, j'aurais tant aimé t'en parler avant, mais je ne pouvais pas le faire devant une tierce personne. C'est à toi que je voulais en parler. J'aurais bien besoin de conseils. Le gars m'a téléphoné il y a deux jours.

Justine regarde sa mère qui reste impassible. Elle voudrait tant la voir sourire.

— Papa n'est pas d'accord pour que je rencontre ce gars. Il dit que le moment est mal choisi. Quand vais-je savoir quel sera le meilleur moment ?

Justine voit son père entrer dans la chambre.

— Tu lui as parlé, Justine ?

— Oui, papa. Et toi, de quoi lui as-tu parlé ?

— D'espoir et d'amour.

Justine se couche près de sa mère et lui caresse le dos.

— Je lui ai dit que tu n'étais pas d'accord à ce que je sorte avec Louis.

— Tiens, il a un prénom maintenant.

— Arrête de faire comme si j'étais une enfant de six ans.

— Tu n'as que treize ans, Justine.

— Et toi, à quel âge as-tu embrassé, pour la première fois, une fille ?

— Ce n'est pas pareil pour les gars.

— Et pourquoi ?

— Justine, un père ne peut pas permettre à sa fille de fréquenter un gars qu'il ne connaît pas.

— C'est un nouveau règlement ? Maman ne serait pas d'accord avec toi.

— Ta mère serait tout à fait d'accord avec mes propos. En fait...

Dave laisse tomber son café. Justine, en deux temps trois mouvements, est debout près de son père. Elle prend la sonnette pour aviser une infirmière.

— Maman !

— Alice.

— J'ai soif.

L'infirmière, debout près de Lou, prend ses signes vitaux. Lou sourit et regarde sa fille. Cette dernière l'embrasse partout sur le visage.

— Je pense que tu auras besoin de mon soutien.

Lou ferme les yeux.

— Et puis, demande Dave à l'infirmière ?

— Tous ses signes vitaux sont excellents. Votre femme revient de loin. Vous pouvez remercier le ciel.

Dave prend la main de Lou. Il pose un baiser, geste qu'il a posé toutes les fois qu'il en avait l'occasion, sur ses lèvres sèches. Elle sourit très faiblement.

— Merci, mon chéri.

La panoplie de médecins arrive dans la chambre. Tous confirment que madame Breton est hors de danger. Elle aura besoin de beaucoup de repos et devra subir plusieurs tests. Mais, ils ne craignent plus pour sa vie.

CHAPITRE 34

Nouveau départ

Après sept mois de convalescence et de réhabilitation, Lou sort de l'hôpital sur ses deux jambes. Elle a tous ses morceaux et respire à pleins poumons. Avant de monter dans la voiture, elle entend quelqu'un l'interpeller.

Laurie Dussault la prend dans ses bras et lui dit combien elle a tout de suite su qu'elle était une combattante.

— J'aimerais, un jour, que vous puissiez venir témoigner et donner du courage à ceux et celles qui se sentent désespérés.

— Je n'y manquerai pas, docteur. Soyez assurée que je remettrai au centuple tout ce que la vie m'a offert. Jamais, je n'oublierai votre générosité, votre grandeur d'âme et votre compassion.

Laurie Dussault embrasse Justine et serre la main de Dave.

— Vous en avez de la chance, tous les deux.

— Merci, docteur.

***

À la maison, des ballons sont accrochés. Élizabeth, Benoît et Françoise l'accueillent. Justine se dirige vers Louis, qui l'embrasse sur la joue.

Lou, le regard heureux, émue, s'émerveille devant les membres de ce cercle tricoté serré.

Françoise s'approche, avec son ventre rebondi. Elle prend la main de Lou, puis la porte sur son ventre. Au même moment, Lou ressent le petit coup de pied du bébé.

— Éloïse, je te présente ta marraine.

Élizabeth, Françoise et Lou veulent immortaliser cet instant.

Benoît prend une photo de ce trio de femmes aussi resplendissantes les unes que les autres.

FIN

ÉPILOGUE

L'histoire de Lou pourrait se terminer sur cette note. Son cahier de notes sur les genoux, elle noircit les pages et ce, de façon quotidienne, de tous ses états d'âme. Il y a des journées où elle se coucherait en boule dans un coin et pleurerait toutes les larmes de son corps. D'autres, où elle frissonne de bonheur devant un lever de soleil.

Puis il y a cet espace réservé à l'amour entre elle et Dave. Beaucoup de discussions, beaucoup d'ajustements. Espace où chacun a besoin de se retrouver.

De plus, Éloïse, Françoise et Benoît contribuent à ce que Lou trouve la vie de plus en plus belle. Sa filleule la transporte de joie. Justine se transforme petit à petit. Une peine d'amour est venue assombrir le cœur de sa fille. Elle l'a soutenue, l'a écoutée et a réussi à la consoler. Élizabeth est venue à la rescousse lorsque Lou se sentait dépassée par certains événements.

Lou est allée vider son bureau de tous ses effets. Aucun remords quant à la vente de ses parts. Elle offrira bientôt des ateliers pour aider les femmes, qui, comme elle, passent par des périodes noires.

Aujourd'hui, elle n'est pas blottie dans un coin, elle écrit sur la joie qu'elle ressent de pouvoir contacter cette force intérieure. Sa plus grande fierté aujourd'hui, c'est de ne plus avoir ce besoin de toucher à la bouteille. Même si elle sait que ce combat en sera un qui durera toute sa vie.

Les Éditions Belle Feuille
68, chemin Saint-André
Saint-Jean-sur-Richelieu (Québec) J2W 2H6
Tél. : 450.348.1681
Courriel : marceldebel@videotron.ca

Web : www.livresdebel.com

Distribué par BND Distribution
4475, rue Frontenac, Montréal, Québec, Canada H2H 2S2
Tél. : 514 844-2111 poste 206   Téléc. : 514 278-3087
Courriel : libraires@bayardcanada.com

Distribution numérique : Agrégateur DeMarque
Web : www.vitrine.entrepotnumerique.com/editeurs/181-les-editions-belle-feuille/publications

Poésie

À la cime de mes racines	Mariève Maréchal	2-9807865-5-1
Un miroir sur ma tête		
Amalg'âme	Angéline Bouchard	978-2-9811691-1-7
Arc-en-ciel d'un ange	Diane Dubois	978-2-9810734-0-2
Bonheur condensé	Magda Farès	2-9807865-8-6
Fantaisies en couleur	Marcel Debel	978-2-9810734-1-9
Voyage au centre de la pensée	Louis Rodier	978-2-9810734-8-8

Récits

L'Arnaquée	Gisèle Roberge	978-2-9811696-6-2

Recueils de contes

L'aventure de Vent des Neiges	Sophie Bergeron	978-2-9811696-7-9
Le Diamant inconnu	Pierre Barbès	978-2-9810734-6-4
Contes de l'au-delà		

Recueils de fantaisie pour enfant

L'anniversaire de Marilou	Hélène Paraire	978-2-9810734-5-7
Les oreilles de Marilou	Hélène Paraire	978-2-9811696-2-4

Romans

La Ménechme	Chantal Valois	978-2-9811696-8-6
Les millions disparus	Bernard Côté	978-2-9811696-0-0
Lettre à ma Louve	Lise Vigeant	978-2-923959-52-8
Méditation extra-terrestre	Olga Anastasiadis	2-9807865-9-4
Oscar et les	Fred Ardève	978-2-923959-53-5
Vendanges du Seigneur		
Rose Emma	Gisèle Mayrand	978-2-9810734-4-0
Sous la poussière des ans	Pierre Cusson	978-2-923959-51-1

Sciences-fictions

Recueil d'événements	Damien Larocque	978-2-923959-49-8
au sein de l'espace